Viennois

UNE SAISON DANS LA NUIT

ALAIN CARIGNON

UNE SAISON DANS LA NUIT

BERNARD GRASSET
PARIS

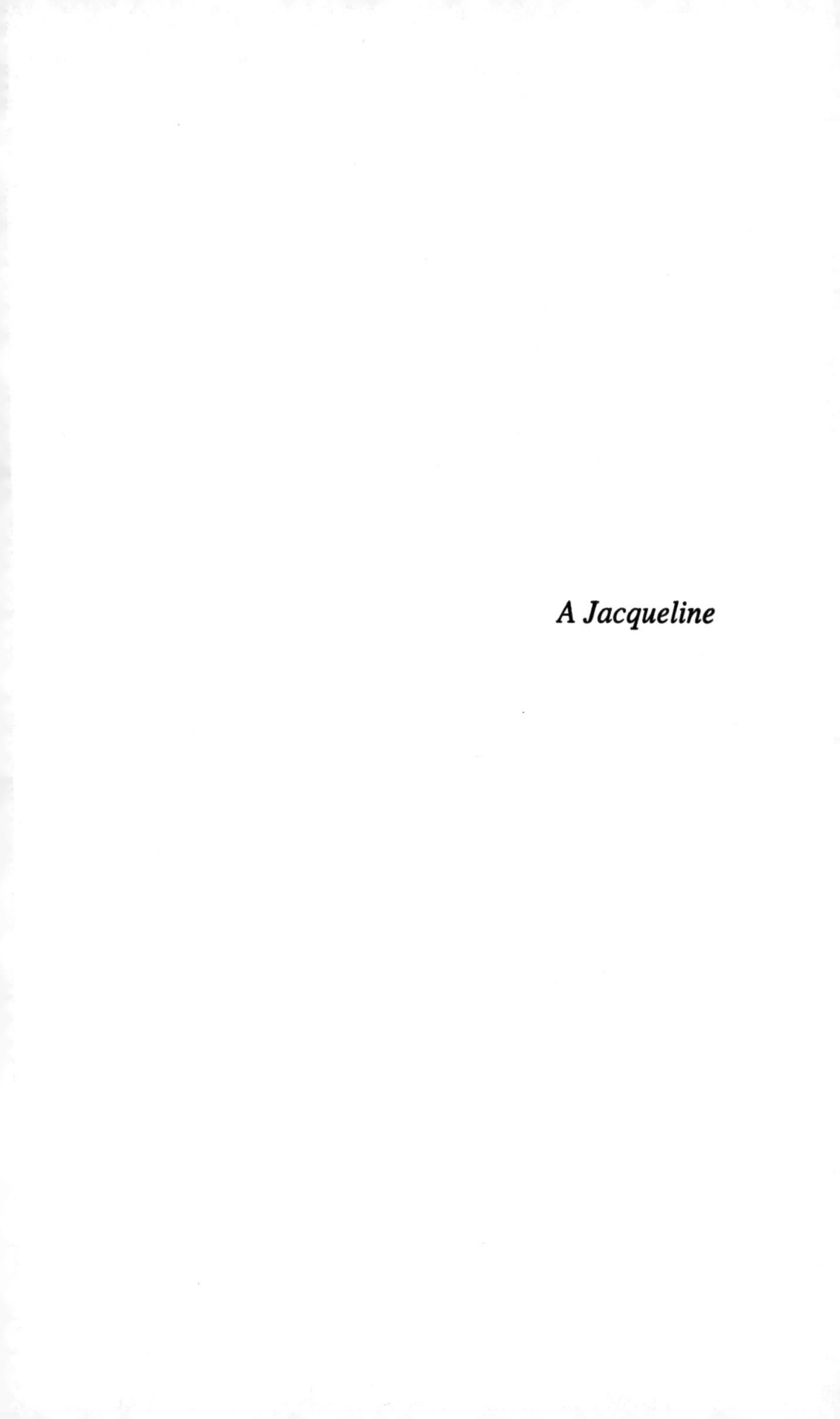

A Jacqueline

Un simple coup de fil...

Hervé de Charette m'en veut. C'est visible. L'air bourru, mon camarade ministre me fixe, un peu étonné, quand je reprends ma place à la table d'honneur, après l'avoir laissé déjeuner face à une chaise vide pendant près d'une heure... Ce lundi 11 juillet 1994, le ministre du Logement, en visite dans la bonne ville de Grenoble, n'apprécie pas la désinvolture de son collègue ministre de la Communication et maire de l'endroit, si peu présent à ce déjeuner de notables orchestré sous les ors de la vieille préfecture napoléonienne.

Bruits des fourchettes sur la belle vaisselle, conversations soutenues. Le préfet Joël Gadbin est là, avec son épouse et les parlementaires de l'Isère. J'ai bredouillé un mot d'excuse imprécis, l'esprit ailleurs. A la maison, Jacqueline est peut-être encore près du téléphone à se poser des questions, seule...

J'ai raccroché et je retrouve le bruit, toutes les apparences de la vie.

De Charette me regarde, agacé. Je n'y peux rien, mais je suis navré. Je n'ai rien contre lui. Nous ne sommes pas exactement du même bord, mais l'homme est fidèle. Il s'est fixé une ligne et s'y tient. Il est au gouvernement le représentant de Valéry Giscard d'Estaing, son œil au sein du cabinet et, le cas échéant, son porte-voix.

Je suis, c'est connu, «balladurien». Gaulliste avant cela, gaulliste d'abord, peu suspect de complaisance pour le giscardisme. J'ai voté blanc en 1974. Je n'ai pas recommencé en 1981. Mais c'était une manière de rappeler à l'homme son «Non» au référendum de 1969 qui provoqua le départ du Général. Ma première peine en politique, une vraie peine de militant gaulliste de 20 ans qui croit que le monde s'écroule, qui sait que le monde s'écroule; un certain monde plus fiable que celui qui suivra... Souvenirs... Je m'en suis ouvert à Giscard, un jour, bien plus tard. J'étais devenu un homme, un homme politique, un vrai. Je pouvais me faire ce plaisir; j'ai dit à VGE que je n'avais pas pu, en 1974, lui accorder ma modeste confiance: «Vous, vous avez bien voté contre le Général.» VGE est beau joueur. Cela n'avait probablement guère d'importance pour lui. Moi, j'avais vengé ma peine de gamin.

De Charette est venu faire son travail de ministre

du Logement, une tournée dans l'Isère pour recenser les besoins, rencontrer les élus locaux, les parlementaires. En tant que maire, président du Conseil général, notable de la France profonde, je suis là pour accueillir mon collègue ministre. On a parlé des « dossiers » avant ce rituel du grand déjeuner. Je suis en face de lui, protocole oblige. Le repas vient de commencer lorsqu'on m'appelle : « Votre femme au téléphone. » A l'autre bout du fil, Jacqueline, la voix tendue, calme, grave : « Alain, notre amie Madame Pougnand m'a prévenue. Le juge va t'appeler cet après-midi... »

Le juge, Philippe Courroye, juge d'instruction lyonnais, entre tout à coup dans mon existence. Désormais, il va faire partie de ma vie, la bouleverser. Bientôt, tout de suite, je ne serai plus – je ne suis déjà plus ministre – « Il va me mettre en examen, je vais démissionner immédiatement du gouvernement. »

La phrase est venue directement, spontanément, comme une évidence. Je sens tout de suite l'injustice de la situation. Je reste à parler avec Jacqueline, une demi-heure et plus, pour adoucir les choses, la conforter, préparer l'avenir. Un monde s'écroule. Moi je vais me battre, mais elle ? Va-t-elle être condamnée à subir des coups sans pouvoir les rendre ? Là-bas, dans la grande pièce, le déjeuner se poursuit. On s'étonne de mon absence. Je raccroche et retourne à table. De Charette a le masque. Lui expliquer? Pas maintenant. Je le raccompagne après le repas, je lui souffle «je suis désolé, je t'expliquerai...» Il s'en va, perplexe. Il me dira, quelques jours plus tard, quand la nouvelle sera tombée: «C'était ça, alors! Je comprends mieux, tiens. Sur le coup je t'ai trouvé bizarre, vraiment...»

Suis-je «bizarre»? Donc, le juge va m'appeler. Philippe Courroye, 35 ans, Lyonnais, catholique, efficace, devenu célèbre grâce à «l'affaire Noir-Botton» et bientôt juge de «l'affaire Carignon». Affaire Carignon... Affaire *Dauphiné-News*. Ça ne tient pas debout. On va se voir et se revoir. Il va être courtois, moi aussi, deux êtres civilisés, policés, bien élevés, mais nous connaissons chacun notre rôle. Il va m'interroger. Je ne serai plus Carignon le ministre, mais Carignon le suspect.

Suspect de bonne tenue, de bonne réputation, de bon aloi, mais suspect quand même. Je me fais à l'idée. Pensif, agité, je reste cependant très maître de moi. J'agis comme si rien n'était déjà inscrit dans le temps, en marche vers une petite fatalité. Il y a plus important qu'une affaire touffue, qu'un portefeuille de ministre, que toute une carrière politique... Plus important? Etrange impression d'être en dehors du jeu, présent et loin d'ici, de savoir ce que les autres ignorent et de faire semblant. Il y a de la perversité dans ce sentiment-là. Un petit quelque chose de ludique, pour compenser. Je m'amuse presque. Je suis dans l'action, et puis je me regarde, une petite voix en moi me susurre : «mais tu bouges, tu vis, tu agis, tu fais illusion, pas mal d'ailleurs, tu es bon, tu te débrouilles, mon vieil Alain, mais je ne suis pas dupe... » Pas dupe... Le repas est terminé. Dispersion. De Charette est parti. Quitter la préfecture, retourner à la mairie, présider le Conseil municipal, traverser ces rues de Grenoble, cette ville que j'aime. Rien n'a changé depuis tout à l'heure, les gens, l'animation, la vie, les montagnes au-dessus de nous. Rien sauf moi; entre le Carignon qui a pénétré dans la préfecture tout à l'heure, notable parmi les notables, et celui qui en sort, il y a... un monde de différence. Déjà une autre destinée est scellée.

Drôle quand même, le hasard des choses... Il fallait que tout me tombe dessus ici. La préfecture, ses ors, ses salons, ses apparences de vieille France dans une ville exclusivement vouée au modernisme. Drôle, quand même, qu'elle vienne abriter ma petite catastrophe... Souvenirs de la préfecture. C'était il y a plus de vingt-cinq ans, le 27 avril 1969. J'avais alors 20 ans. A l'étage, dans les appartements du préfet de l'époque, Louis Verger, nous étions une poignée de perdants, quelques croyants très peu à la mode, quelques-uns pour qui le Général restait le Général...

Quelques gaullistes devenus orphelins. J'étais, je crois, le seul jeune du groupe. Le jeune gaulliste et ses compagnons en somme. Nous faisions corps ce soir-là pour nous tenir chaud, nous pointions les résultats du référendum, le préfet et nous, devant la télévision. Un préfet, la pipe à la bouche, le cheveu ras, coloriant une carte de France en bleu pour le «oui», en rose pour le «non», moi debout derrière regardant cette carte rosir, inexorablement, sans oser parler, jusqu'à ce que l'on comprenne que tout était fichu, que le référendum était perdu, que De Gaulle allait partir. En bas, dans les grands salons de la Maison de la République, on pavoisait. Notables antigaullistes, élus de la ville, socialistes et PSU – Grenoble était encore la ville du mendésisme, de la nouvelle gauche, du refus du Général. On entendait sauter les bouchons de champagne. On croyait les entendre. Nous, là-haut, nous étions comme des réfugiés, nous sentant mal, de plus en plus mal. Avant que tout soit fini, je suis parti, par une porte dérobée, j'ai descendu un escalier de service pour ne pas voir la liesse des vainqueurs. Puis le communiqué du Général «je cesse d'exercer mes fonctions de président de la République» est tombé sur les ondes. A deux ou trois nous avons marché dans les rues tièdes, sans vouloir nous séparer. Toute une nuit à marcher sans but. Il pleuvait. C'était comme si la terre s'était arrêtée...

Je suis né au gaullisme dans l'ennui d'une banlieue ouvrière de Grenoble : Saint-Martin-d'Hères. Ça n'était pas du Zola. Mon père était journaliste au *Dauphiné Libéré*, les ghettos d'aujourd'hui restaient encore à inventer. C'était simplement une banlieue ouvrière, à des années-lumière du centre ville de Grenoble avec ces appartements de la vieille bourgeoisie et les rêves futuristes des ingénieurs qui affluaient alors vers l'Isère...

Juste une banlieue. Fief communiste. Cœur rouge. Petite Russie sous la chape de plomb des loisirs prolétariens, époque où le Parti faisait du social pour encadrer les jeunes, multiplier les centres de loisir et les foyers où l'on jouait au ping-pong avant d'entendre un conférencier vanter les mérites de l'agriculture soviétique ; je caricature... Nous étions des jeunes sentant les années 60 leur échapper, l'ennui du temps qui passe, des jeunes qui lisaient dans les journaux : « Vous avez la chance extraordinaire de vivre si près de Grenoble la jeune, Grenoble la nouvelle, Grenoble l'aventureuse, Grenoble où Pierre Mendès France s'était fait élire député. » Nous lisions cela. Sans parvenir à y croire.

Deux vies. Celle de l'image, de la représentation et celle de la réalité. Bizarre cette distance entre la diversité d'une réalité et sa projection toujours caricaturée.

Pour nous alors, il y avait juste de la grisaille et du

conformisme. Et des patronages rouges. Convenables, tellement convenables. Nous étions une bande, quelques jeunes fatigués de tout cela. Des étudiants, des lycéens, des bons élèves, des voyous, des gosses de pauvres et des gosses de pas riches.

Je leur dois ma première élection en septembre 1967 ! celle de « Responsable général du Foyer des Jeunes et d'Education Populaire Fernand Texier » ! Elu avec toute mon équipe à la surprise générale des 60 adhérents présents ! Depuis la Libération, les communistes n'avaient jamais perdu. Je démissionne en décembre de la même année. Plus de crédits. La municipalité n'accepte la démocratie qu'à condition de gagner les élections... Première ivresse publique. Première humiliation publique.

*

* *

Un étudiant en droit, Jacques Boedels me propose de prendre la tête des jeunes gaullistes, l'Union des Jeunes pour le Progrès. Les faits n'apprennent rien. Ce que je ressens explique tout. Vingt-sept ans plus tard, je vais choisir Me Jacques Boedels, avocat parisien, pour assurer ma défense dans l'affaire *Dauphiné-News*...

Je suis à l'âge où l'on s'isole dans un pré pour rêver, imaginer, vivre je ne sais quels drames, épopée ou révolution dont je ne garde pas le plus petit souvenir. Ces pauvres rêveries, entre l'avenue Gabriel Péri qui mène au campus universitaire de Saint-Martin-d'Hères et une rue plus calme, sont déchirées le soir par les phares de voitures : un bref instant je suis en pleine lumière ! En tout cas cette solitude me donne l'idée d'une existence où l'inouï est possible.

« Années 68. » Evidemment je refais le monde, après les séances de cinéma, en marchant dans les rues de Grenoble. La gauche est à la mode. Mendès, puis Mitterrand et à Grenoble, Dubedout. Les communistes aussi. L'intelligence, l'avenir, la générosité. « Nous » allons être submergés, renversés. J'ai choisi De Gaulle. Je vais le dire sous les huées au campus, aux jeunes de mon âge qui vivent les « événements » de l'autre côté de ma barrière.

Je vais tout de même étudier sur place, en 1970, le « modèle » soviétique. Pour pas cher, avec France-URSS. Je m'échappe du groupe à Moscou et à Kiev, saute dans un bus, attend son terminus et frappe aux portes d'appartements de banlieues plus laides que Saint-Martin-d'Hères où les familles sont entassées à plusieurs. « Fransouski, je suis perdu. » A chaque fois, de voisin en voisin, je trouve un étudiant, une étudiante qui parle français. Après les précautions et prudences d'usage – suis-je vraiment un Français perdu ? – on déverse le trop-plein de dictature dans un flot de paroles ininterrompu ; on me questionne, on veut savoir. J'ai la nausée. Je me sens tellement impuissant. « Toi, tu peux partir, revenir, comparer, moi jamais », se lamente une étudiante. Aujourd'hui elle a 46 ans. Elle pleure peut-être pour sa fille qui figure parmi les jolies étudiantes de Moscou parlant français. En échange d'un billet pour Paris, on propose le vivre, le couvert, et si vous le souhaitez, le partage du lit. J'en ai vu assez. Je peux remonter dans l'avion de l'Aeroflot avec le groupe de France-URSS enthousiasmé par la réussite soviétique. Nous n'avons pas dû voir la même chose; certains faits ne peuvent mentir...

J'ai vécu une expérience similaire en 1969 : je réussis à me faire envoyer en Irak par l'Union des Jeunes pour le Progrès avec Yves Deniaud, désormais député de l'Orne. A 20 ans, je découvre qu'on ne pend pas seulement dans l'histoire, dans les romans. En janvier 1969, on pend sur la place de Bagdad, on pend à Bassorah. En public, devant la famille, pour l'exemple. Peut-être applaudit-on. Je parcours les ruelles, les rues sombres, je fréquente les coupe-gorge, seul. Je ne me lasse pas de chercher le sanguinaire qui est en nous. Je veux percer le secret de ces regards et de ces âmes tapis dans l'ombre. Mais je rentre, épuisé et déçu de n'avoir rien compris.

*

* *

Dans ces années-là, j'aurais mieux fait d'aller voir moins loin. Madame Chazot, une amie très chère, m'a fait découvrir Giono à 17 ans. Manosque est à deux pas de Grenoble. Pierre Bergé, le président de Saint Laurent, me montrera la correspondance échangée avec l'écrivain à la même époque ; lui a eu le bon réflexe : partir, s'installer à Manosque, dans la proximité de Jean Giono.

*

* *

A cette période, une frontière invisible séparait Grenoble de sa banlieue pauvre. Mes amis ne la franchissaient pas. Je poursuivais donc seul mon chemin. Les automobiles me dépassaient et parfois m'arrosaient. Les solitaires tardifs, au hasard des comptoirs ouvriers, étaient accoudés devant un verre de vin. J'étais curieux de ces vies que je croisais furtivement et qui m'échappaient. J'y pense, maintenant qu'il faut trouver les petites humiliations qui conduisent parfois, même à son insu, aux désirs de revanche. Je me revois heureux, partant rejoindre ma famille où je suis aimé et attendu.

Pourtant, au-delà de cette frontière, il y a une autre vie. Ma banlieue, elle, compte déjà un mort : Jean-Paul Kreher, le cheveu noir et dru, le front plissé. A 18 ans, il est abattu à l'aube, sur un trottoir. Sa moto rouge et blanche, ses costumes tape-à-l'œil, sa démarche chaloupée, tout est trop vite fini pour lui. Une autre type est déjà en prison : deux cambriolages à main armée et six ans de détention. Cette vie n'a pas de sens. Sinon que meurent, disparaissent ceux que la veille je croisais, à qui je parlais. Je n'ai jamais pu les oublier.

*
* *

Je voudrais remonter plus loin encore, jusqu'aux non-dits de l'enfance. Avec M. Pépin, l'épicier d'Avignon. A l'âge de 7 ans, avec le sac à provisions, j'emprunte la Traverse Montagné, petite ruelle où nous habitons. Ces cent mètres me paraissent une expédition. Arrivé au bout, je tourne sur ma droite dans l'avenue Saint-Jean qui me semble vaste comme les Champs-Elysées. Là, tout de suite, c'est l'épicerie de M. Pépin. Pour entrer, je passe sur une dalle de ciment. Elle recouvre les égouts encore à ciel ouvert. L'eau noirâtre s'écoule lentement et se fraie un passage au milieu de longues fibres vertes qui ondulent. M. Pépin me voit venir plutôt vers la fin du mois. Parce qu'à cette époque je fais « marquer les commissions ». Il m'aime bien. Je suis le seul enfant, de mes quatre frères et sœurs, et même de tout le quartier, à être invité à regarder la TV le jeudi après-midi, dans la salle à manger attenante à l'épicerie. C'est le seul récepteur du secteur. Une petite fille blonde chante «Jeudi c'est le jour que l'on aime». Follement amoureux, pour rien au monde je ne rate ce rendez-vous hebdomadaire qu'elle n'a qu'avec moi. Pour le reste, le manque m'est soigneusement épargné par la tendresse et l'amour d'une mère exceptionnelle, le désir de nos parents de nous satisfaire : ils mériteraient un livre pour eux seuls.

*

* *

Il faut une explication à tout. Si je quitte la préfecture aujourd'hui, où tant de souvenirs me rattachent, pour aller présider le Conseil municipal, si je trouve à m'amuser de cette situation baroque qui fait déjà de moi un autre, si je semble «bizarre» à Hervé de Charette, «pugnace» à mes amis, si j'arrive à encaisser la démission, l'opprobre, tout ce que je ne soupçonne pas encore, c'est qu'il y a une raison.

La frayeur de la rue «Notre-Dame des 7 Douleurs»? A 7 ans, au moment d'aller servir la première messe à l'Eglise des Carmes d'Avignon, je passe, encore endormi, dans cette rue dont le nom m'impressionne... J'imagine une torture à laquelle la multiplication par 7 donne les dimensions de l'enfer. A l'église, au moment de l'élévation, je tente d'effacer ma peur en agitant bien fort les clochettes...

L'angoisse de la mort ? A 11 ans, tenaillé par la crainte de mourir, je suis en sueur. J'effectue une marche de nuit sous l'orage. Le tonnerre et les éclairs, violents, éclatent à mes pieds, circulent dans les rigoles d'eau. Nous sommes en file indienne, personne ne voit personne et mes petites larmes se confondent avec la pluie. La mort se fait attendre.

Je fais à nouveau l'expérience de cette sale impression au printemps de mes 18 ans, dans les balcons de la Meije. Je ne remarque pas que mon chien est loin de moi. Je suis au milieu d'un immense éboulis très pentu. Lui m'observe, en bas, assis sur l'herbe. Un large pan de cailloux comme soudés, bouge imperceptiblement sous moi. Impression de départ d'avalanche. Je vais rouler et mourir seul sous les yeux du chien. Je suis inondé de sueur, paralysé. Le chien doit trouver drôle de voir ce type au milieu d'un champ de pierres, les jambes raides comme des poteaux électriques, plié en deux comme un automate, les mains tâtonnant avec une précision d'horloger pour trouver un appui solide !

Il y a trois ans, je me suis laissé entraîner au Groenland, par un ami d'Haroun Tazieff, Janot Lamberton, explorateur attachant. M'étant éloigné du groupe, je me retrouve tout d'un coup dans un grand pré très raide, au bord d'une impressionnante crevasse. Le sol boueux se dérobe. Pas étonnant sur cette terre de glaces qui vont et viennent. Mon pied se bloque sur un minuscule galet en suspens. Une main pour tenir une touffe d'herbes, à moitié déracinée, l'autre qui s'accroche dans la gadoue. Ma chemise colle à ma peau, glacée. C'est le signe de la mort imminente. D'un pied et d'une main, je me soulève comme un cabri, une fois, deux fois... Mon corps décolle, s'envole, tendu vers la vie. En prison j'aurai la sueur chaude des cauchemars, des hallucinations. A chaque réveil, à l'heure où l'angoisse grandit, je verrai ma ceinture qui pend avec l'envie de la serrer autour de mon cou. La mort m'obsède. Mais, chaque fois, c'est l'idée de la mort que je frôle : pas la mort elle-même.

Reste les chagrins d'enfance. Celui qui demeure inscrit dans ma mémoire c'est celui de la fin de l'été, ces étés à la Pagnol de *La Gloire de mon père*. Ah! ces fins d'été dans le champ le plus élevé! Bouleversé, j'embrasse le monde qui a été le mien pendant de si longs mois de vacances : adieu les vaches au pâturage, la traite, les foins, les senteurs, les nuées d'insectes sur les herbes fraîchement coupées, le goûter sous les arbres, le mouvement des paysans qui chargent la paille sur la vieille charrette en bois, le cheval fourbu, l'attention au ciel, à la pluie, au temps qui décide pour nous. En fixant ces scènes dans mon souvenir, je m'aide à vivre, à supporter ma détresse d'enfant. Je fais provision d'une liberté qui va me faire défaut tout l'hiver. Avec *Les Racines du ciel* de Romain Gary ou *Que ma joie demeure* de Giono, je retrouverais cette ivresse des grands espaces, le lyrisme et l'universalité des destinées campagnardes.

*
* *

Et puis il y a ce chapelet de villages qui domine la Grave, face à la Meije, dont les noms s'énumèrent comme une liste à la Prévert, le Chazelet, les Terrasses, les Hyères, Ventelon, Valfroide et qui a la vertu féerique de me rendre à cette galaxie de rêves. En quittant le village des Terrasses, je laisse le petit cimetière et ses tombes disparates, aux vieilles pierres parfois brisées par les rigueurs de l'hiver; j'emprunte une route en lacet jusqu'à un belvédère surmonté d'une simple croix de bois. Elle est plantée là, en bordure du ravin qui descend dans la vallée où se reflètent, au fond, les tourbillons argentés du torrent. De cet à-pic, émerge une forêt de rochers saillants et sombres, rongés comme des os, de petits arbustes inclinés vers le bas qui résistent au vent et à la pluie; surgissent aussi des oiseaux inconnus qui disparaissent derrière des pierres penchées. La bise fraîche me rend vulnérable, prêt à plonger vers ce néant qui m'aspire. Pour ne pas me laisser submerger de bonheur par ce flot de sentiments, je lève la tête vers la Meije. Majestueuse, puissante, feignant la bienveillance, elle m'offre sa sérénité. Epaules tombantes, large cou, auréolée d'une corolle de nuages qui lui fait fête, elle domine tout et partage le ciel comme une mer. Elle ne respire pas le même air que nous mais ses effluves suffisent à notre félicité. L'éternité de la Meije est une évidence. En face d'elle, la petite croix de bois paraît bien dérisoire. Chaque fois, ce petit calvaire, la Meije et le vent du gouffre me murmurent un message nouveau. La sarabande de mon existence, les trésors de mon enfance m'exaltent alors au point de me faire suffoquer. Je suis noyé dans le cosmos et je voudrais retenir ces étoiles filantes, devenir chevalier sur leur chariot, survoler avec elles les étendues infinies et peuplées dont je connais l'existence mais que je n'entrevois que trop brièvement. Je prends conscience alors de la part inaltérable qui est en moi. La plénitude pulvérise tous mes chagrins. La magie de ces horizons lointains ne cessera jamais.

*

* *

Frayeurs, chagrins, transports pieusement conservés dans le souvenir de l'adulte. Rien de cela n'explique la vitalité qui est en soi. C'est un mystère pour chacun de nous tout comme la boussole ne s'explique pas : elle donne la bonne direction. Mais en chemin, elle m'apprend à découvrir ce qui ne provient que de moi ; à m'avouer mes angoisses et mes peurs, pour être plus libre. Elle m'enseigne à vivre les marées, ce mouvement perpétuel qui vous laisse nu, comme mort, et vous reprend pour vous redonner la vie ; elle m'inculque que la solitude n'est pas un détour à éviter mais un épanouissement dont il faut savoir jouir.

*

* *

Dans ma cellule, soigneusement camouflés sous le vernis de l'adulte, les dangers de mon enfance ont refait surface. A la prison Saint-Joseph, j'ai renoué ce fil qui relie mon angoisse à la folie. Enfant je craignais de basculer de la lucidité à la nuit. Je tentais de retenir cette peur, de l'empêcher de pénétrer en moi. Je voyais la spirale – je la voyais, bord courbé en haut, cercles concentriques qui aspirent dans un trou sans fin. Ces cercles m'envahissaient. Je me réfugiais sur le lit, l'oreiller sur la figure. Ou bien je sortais d'un pas rapide sous la pluie pour me rincer le cerveau. Cela menaçait mon entendement. Etrangement, une grande question philosophique était à l'origine de cette terreur. Je l'ignorais. J'étais incapable de le concevoir. Je ne disposais pas des moyens de raisonner, de comparer. D'une certaine manière, c'était beau, avant toute structuration et altération de l'esprit. La question était à peu près : «Mais si nous n'étions pas là, nous, la vie, la terre, il n'y aurait rien. Pourquoi y a-t-il nous et pas rien ?» L'existence ou non de Dieu ne m'aidait pas. L'enfant vacillait. Ma question n'avait ni début, ni fin. Je la surveillais avec intensité pour l'empêcher de prendre de l'ampleur. Elle perdra sa force plus tard. D'autres questions la relativiseront. J'apprendrai, à travers des livres qui évoquent son œuvre, le questionnement fondamental de Heidegger : «Pourquoi y a-t-il de l'être plutôt que rien ?» Selon d'autres philosophes, la bonne question n'est pas celle-là. Aujourd'hui encore, quand je lis, «la terre va mourir de froid, le soleil finira par s'éteindre», je rejoins la question philosophique informulée de mon enfance. Oui, l'idée de cette fin qui n'aurait pas de fin m'oppresse. Elle mutile encore mon raisonnement.

Cette inquiétude sourde, ce fil tendu, ce sentier masqué jusque-là par les certitudes de l'adulte ont resurgi dans l'isolement de la prison. Dans l'effroi de l'enfant qui affleure, le prisonnier reconnaît d'emblée ce qui n'appartient qu'à lui.

Image et réalité, instinct et élan vital, hasards, échecs et succès, différence sociale, souffrances et douleurs productives ; la peur, la mort, la prison, la douceur et la solitude, les questions sans réponse... J'étais incapable de donner un sens à ces étranges coïncidences qui accompagnent chaque destinée humaine. Je n'avais pas conscience qu'au sortir de l'adolescence, beaucoup m'avait déjà été dit.

A propos d'un « pacte de corruption »

Non, je ne suis pas ivre. Nous avons soupé et bu, ajouté du plaisir à la joie. Cumulées, ces choses-là font rarement du mal. Jacqueline doit avoir ce sentiment doux à éprouver pour ceux que l'on aime : le sentiment de propriété. Accroché à son bras, je suis dépendant d'elle. A la fois soulevé et grisé. Cotonneux aussi. C'est moelleux et profond. 5 heures du matin, Grenoble dort. Nous marchons de la place Victor Hugo à la rue Jean Macé. Nous rentrons à pied dans son deux-pièces. Je vis chez elle. A la fois hôte de passage et installé. Je continue de louer un petit appartement où je ne me rends plus jamais, histoire de conserver une indépendance dont je ne profite d'ailleurs pas.

Mais en ce petit matin, en cet instant privilégié et

rare, notre tête est pleine de ce qui nous attend et que nous ignorons; l'avenir pur, pas encore souillé d'avoir existé, est déjà en nous.

Ce matin du 7 mars 1983 la presse tourne déjà sur les rotatives. Elle va commenter, expliquer, faire de Grenoble la ville symbole de la reconquête de l'opposition. Je viens d'être élu maire de la ville, au premier tour, avec 6 000 voix d'avance et à la surprise générale. J'ai 34 ans depuis quinze jours.

Le lendemain, les actions sont faciles à entreprendre. Denis Bonzy, qui fut le maître d'œuvre de la campagne, devient mon directeur de cabinet. Il a préparé les dossiers avec intelligence et savoir-faire : le référendum pour le tramway, la station d'épuration de l'agglomération, l'autoroute Grenoble-Valence... Travaux vite décidés. Vite réalisés.

De son côté, Philippe Langenieux-Villard, nouveau directeur de l'Information, avant de devenir un brillant député de l'Isère, recrute Frédéric Mougeolle. Ils lancent le premier journal municipal vendu en kiosque comme un véritable magazine. Paris gagné. Grenoble innove et reçoit pour ce journal «la Marianne d'or de la démocratie»...

*
* *

Six ans plus tard, réélu au premier tour, mon bonheur n'est pas de même nature. Je ressens une immense satisfaction, la reconnaissance du travail accompli. Mais je ne retrouve pas l'euphorie des «premières fois». Cette seconde victoire signifie plus de devoirs que de droits.

Mon programme municipal est très chargé : suivre l'installation de la Source Européenne de rayonnement Synchrotron qui va drainer à Grenoble 2 500 nouveaux chercheurs. Imaginer un musée digne des collections de peinture de la ville. Bâtir le Centre d'Affaires Europole pour assurer l'emploi et l'avenir des ressources fiscales. Resserrer les mailles du filet social pour freiner l'accroissement des exclusions. Conserver notre avance en matière associative, universitaire, scientifique, sportive...

La crise financière nous frappe de plein fouet. Elle touche aussi les contribuables et s'accentue avec la récession. Je me refuse, dans une telle période, à augmenter l'impôt. Les services financiers sont formels : en cas de délégation de gestion, le service dont le rapport serait le plus élevé, est évidemment celui des eaux. Quatre sociétés peuvent prétendre à ce marché : Bouygues, La Générale des Eaux, la Lyonnaise des Eaux et le cabinet Merlin. Bouygues vise les grands travaux urbains et les projets de tunnel. La Générale des Eaux est déjà très présente à Grenoble. Je ne désire pas qu'une seule de ces sociétés dispose de l'ensemble des grands marchés, domine la vie économique avec les conséquences politiques que je devine.

La candidature du cabinet Merlin, allié à la Lyonnaise, est retenue. C'est à la fois un choix régional et national ; nul ne le conteste. La loi sur les délégations de services publics autorise cette procédure. En effet, la commune fixe le prix de la délégation. A Grenoble les services l'ont évalué à 510 MF. Tout ce qui se rapporte à l'eau (emprunts, matériels, épuration...) a été comptabilisé. Si les services affectent des dépenses sans rapport avec l'objet de la délégation, la sanction est connue : le tribunal administratif annule la décision. A cette époque, justement, le maire de Saint-Etienne, M. Dubanchet, va subir ce jugement et démissionner. Afin d'œuvrer pour une bonne gestion communale, il voulait accroître les recettes en provenance du bénéficiaire de la délégation et de l'usager de l'eau. Ce droit lui a été refusé.

A Grenoble personne ne peut affirmer – et a fortiori prouver – qu'une somme supérieure à 510 MF, toutes échéances comprises, aurait dû être exigée. Le Conseil municipal approuve deux fois cette concession. Le tribunal administratif, saisi d'un sursis à exécuter cette décision, le rejette. Il est ensuite saisi d'une demande d'annulation sur le fond qu'il rejette également. Le contrôle de légalité du préfet s'exerce. La Chambre régionale des Comptes contrôle à son tour sans faire de remarque. La société privée est déficitaire pendant quinze ans, bénéficiaire la seizième année. Grenoble dispose de 120 MF pour investir sans lever d'impôts à une période où, justement, le contribuable voit son pouvoir d'achat diminuer. Grenoble conserve la propriété de ses magnifiques champs de captage; ses habitants bénéficient d'une eau pure, protégée, non traitée. Le prix de la consommation se situe autour de 10 F le m^3, épuration comprise, et ce pour vingt-cinq ans! C'est l'un des plus bas de France! Personne ne peut plaider honnêtement que la ville aurait pu réaliser une meilleure opération. Au moment de prendre la décision, ni mon secrétaire général de l'époque, M. Patrick Thull, ni mon adjoint aux Finances, Jean-Pierre Saul-Guibert, ne m'ont proposé une alternative technique et financière satisfaisante sans augmenter la fiscalité. Rien ni personne ne m'aurait empêché de renoncer à cette délégation si d'autres pistes m'avaient été proposées. Rien, sinon le désir d'agir. Je ne découvrirai que six ans plus tard, lors de l'instruction de mon procès, la suspicion de l'exisence d'un «pacte» qui m'aurait obligé à cette alliance.

A l'époque, je ne prête aucune attention au rachat, par les sociétés «bénéficiaires» de cette délégation, des journaux de M. Mougeolle, ni à leur déficit de 5,4 MF, qui représente un cinquième de son chiffre d'affaires. Ensemble, ils fondent une nouvelle entreprise qui a pour ambition d'éditer des journaux dans les villes de France. Ils y parviennent et j'en suis heureux pour Frédéric Mougeolle. Je le sais homme talentueux et convaincant. Ce journaliste professionnel ne s'est pas contenté de la réussite du journal municipal depuis six ans. Il veut une nouvelle presse. Basée sur la gratuité, selon l'exemple américain *USA To-Day*. A l'approche des élections municipales de 1989, son projet est bien avancé. Il lance d'abord un mensuel *Dauphiné-News* en octobre 1988. A dominante économique. Puis un gratuit bihebdomadaire dont l'objectif final est de se transformer en quotidien. Avec son entregent, il a rassemblé des financements. J'obtiens pour lui un rendez-vous avec l'un des plus grands industriels grenoblois, Serge Kampf, dont la percée mondiale est connue : c'est lui qui a bâti de ses mains Cap Gemini Sogeti, une entreprise d'ingénierie informatique qui compte 25 000 salariés. Après avoir longuement entendu M. Mougeolle, il choisira de l'aider personnellement.

Par deux notes, une en octobre et l'autre en décembre 1988, je suggère à ces titres des thèmes et des interviews de nature – selon moi – à valoriser la ville. C'est tout. Suis-je, de ce fait, «l'initiateur»? Non. Ai-je sollicité qui que ce soit pour qu'il figure comme administrateur des sociétés? Non. Ai-je un intérêt financier? Non. J'ignore où ces journaux sont installés, je ne m'y rends jamais. Je ne téléphone jamais...

Ces publications paraissent pendant et après la campagne électorale. Leur tonalité ne s'assimile en rien à celle des journaux de propagande. Personne ne vient me soumettre la question de leur déficit ou de leur reprise. Je n'interviens pas. Lorsque la nouvelle société de M. Mougeolle, alliée aux délégataires de l'eau, postule à nouveau pour éditer le journal municipal de Grenoble pour la période 89-95, la polémique politique et financière autour du *Dauphiné-News*, ses liens avec moi, est passée. La commission d'appel d'offres, constituée à cette occasion, et où l'opposition est représentée, le choisit à l'unanimité. Il est le meilleur professionnel. Chacun s'accorde à le reconnaître.

Je suis un maire tranquille. Je peux me consacrer pleinement à ce nouveau départ pour Grenoble. La ville doit affronter dans de bonnes conditions le grand large de l'an 2000. Je peux réaliser les projets dont elle a besoin. C'est un immense bonheur de satisfaire cette ambition à travers laquelle je suis convaincu de servir le bien commun.

*

* *

En 1994, j'apprendrai pour la première fois l'existence d'un prétendu «pacte de corruption». C'est Patrick Thull, à l'époque secrétaire général de la mairie et directeur du cabinet du maire, qui le dénonce. Il confirme son accusation dans une interview fracassante donnée à *Libération*, en octobre 1994, le matin même où je sollicitais ma libération auprès de la chambre d'accusation de Lyon...

Selon Patrick Thull, au début d'octobre 1987, un déjeuner réunissant sept ou huit personnes s'est tenu à Grenoble, sous ma présidence. Jérôme Monod, PDG de la Lyonnaise des Eaux et Marc-Michel Merlin, PDG de SDEL y participaient, ainsi que nos collaborateurs respectifs. Ce jour-là, en contrepartie de la privatisation du service des eaux de la ville de Grenoble, ces deux sociétés auraient promis des services au bénéfice de l'homme politique Alain Carignon.

Je suis tellement abasourdi lorsque mes avocats me montrent *Libération* juste avant d'entrer dans la salle d'audience, que je fais remarquer devant le président et ses conseillers que «ce déjeuner n'a pas pu avoir lieu».

Je suis tellement certain d'avoir décidé de la privatisation après mars 1989, d'avoir rencontré à ce moment-là les interlocuteurs indispensables que je nie l'existence de ce déjeuner avec force et en toute bonne foi. Je n'en ai pas le début d'un souvenir.

Le problème pour moi – et cela ne m'aidera pas – est que j'ai tort sur la forme et raison sur le fond. Oui, il y a bien eu un déjeuner en octobre 1987 –

chacun des participants le confirmera – mais Jérôme Monod venait avant tout rencontrer le ministre de l'Environnement que j'étais. J'avais l'habitude de ces tours de table que je m'imposais pour demeurer à l'écoute des industriels de l'environnement et il était naturel que le PDG de la Lyonnaise prenne la peine de venir à Grenoble.

A cette occasion, et au milieu d'autres sujets, MM. Monod et Merlin m'ont fait savoir que si la question se posait un jour, ils postuleraient ensemble pour obtenir le contrat d'eau de Grenoble. Ils me faisaient connaître ce qu'on appelle un «pacte d'actionnaires».

Comme à tous ces interlocuteurs très nombreux qui proposent au maire de Grenoble une privatisation – Grenoble est la ville la plus socialisée de France – j'ai répondu que j'étudierais leur dossier et, évidemment, que si le problème se posait et qu'ils étaient les meilleurs, ils seraient choisis...

A partir de là, les versions divergent : selon MM. Thull et Merlin, la privatisation était décidée; ils se sont mis au travail dès le lendemain avec un collaborateur de la Lyonnaise des Eaux.

A contrario, pour Jérôme Monod et pour moi-même, le déjeuner était oublié et la question plus du tout à l'ordre du jour : il est retourné à sa société et moi, à mon ministère.

Je n'ai plus entendu parler de ce dossier. Pas une

fois, on n'a fait état devant moi d'une quelconque négociation, de son évolution...

Je suis donc étonné trois mois plus tard, en décembre 1987, de l'insistance avec laquelle Patrick Thull sollicite un rendez-vous avec MM. Merlin et Prompsy. Mon emploi du temps est surchargé mais je finis par accorder un rendez-vous assez bref au ministère de l'Environnement, à la fin du mois de décembre 1987.

Sur ce jour, il n'y a aucune divergence d'interprétation : MM. Thull, Merlin, Prompsy et moi-même sommes, pour une fois, d'accord.

Dans le bureau du ministre, M. Thull indique que le dossier de la privatisation de l'eau de Grenoble est bouclé et qu'ils sont en mesure de me le présenter. Je tombe des nues. Je leur indique qu'il n'en est pas question. Je refuse même qu'ils ouvrent leur dossier. Je ne veux pas en entendre parler ! et j'affirme – ils sont tous d'accord là-dessus – « Je reverrai ce dossier après les élections municipales de 1989 ! »

Jérôme Monod lui-même ne s'y est pas trompé : si la privatisation de l'eau de Grenoble avait été à l'ordre du jour il aurait été probablement convié à cette réunion.

Quoi qu'il en soit, si j'avais été lié par un « pacte de corruption » conclu trois mois auparavant, aurais-je pu réagir avec une telle liberté et une telle désinvolture ?

Voici l'une des preuves que cette histoire ne tient pas debout. D'ailleurs un tel «pacte» est à l'opposé de mon éthique personnelle. De plus, prendre une décision trois ans avant qu'elle ne se traduise dans les faits est contraire à mon tempérament.

Face à ma détermination qui ne variera jamais, Thull brodera sur le déjeuner d'octobre 1987.

Il racontera d'abord que je suis allé cherché M. Monod à l'aéroport de Grenoble Saint-Geoirs (une heure aller-retour). Il sera prouvé par tous les convives que c'est faux.

Il racontera qu'une réunion d'une demi-heure s'est tenue avant le déjeuner, réunion dont il était absent et au cours de laquelle s'est conclu le pacte. Il sera prouvé par tous les convives que c'est faux.

Il racontera dans *Libération* qu'à la fin du déjeuner, je lui ai demandé de se lever de table pour l'éloigner mais... qu'il a tout entendu. Il sera prouvé par tous les autres que c'est faux : outre que je n'ai jamais demandé à personne, quel que soit son rang, de se lever de table pour que je puisse parler hors de sa présence, la salle à manger du pavillon du Conseil général où se déroulait ce déjeuner est trop petite pour que quelqu'un puisse être tenu à l'écart...

Je ne sais pas comment se conclut un «pacte de corruption», je préfère ne pas l'apprendre. Mais je ne l'imagine pas se conclure au cours d'un déjeuner officiel, programmé de longue date, avec autant de convives autour de la table et présidé par un ministre avec le PDG d'une multinationale en face de lui !

J'ai dû attendre le mois de janvier 1995, et ma confrontation avec Patrick Thull pour que celui-ci affirme devant le juge : « Je n'ai jamais parlé d'un pacte de corruption, mais d'un pacte d'actionnaires. » Alors là, rien de plus légal, de plus naturel, de plus plausible, de moins sujet à caution que ce genre d'accord passé entre deux sociétés privées.

Alors pourquoi ? Pourquoi un haut fonctionnaire, sous-préfet, trois ans secrétaire général de la ville de Grenoble et directeur de cabinet notamment lorsque j'étais ministre de l'Environnement, ce qui lui permettait d'exercer de plus larges responsabilités, pourquoi un tel homme a-t-il pu, six ans plus tard, déraper, accuser, calomnier, se comporter de façon aussi irresponsable ?

Lorsque j'ai souhaité me séparer de Patrick Thull, en 1989, j'ai rédigé en sa faveur une lettre amicale pour le remercier, et jamais depuis son départ de la mairie je n'ai prononcé un mot de critique à l'égard de sa gestion administrative et financière de la ville. Pourtant la Chambre régionale des Comptes a porté des jugements sévères sur les dysfonctionnements administratifs et financiers de Grenoble sur cette période. Jamais je n'ai mis en cause le secrétaire général et j'ai assumé devant l'opinion publique toutes les critiques dont aucune pourtant ne ressortissait à la responsabilité du maire. Après son départ, M. Thull a poursuivi une carrière dans le privé, puis à la région Lorraine sans que jamais je lui nuise par un propos désobligeant.

Alors pourquoi? Très certainement, sans m'en rendre compte, j'ai dû heurter sa susceptibilité. L'orgueil blessé est si souvent le moteur de haines meurtrières...

Mais surtout il y a la peur du juge : convaincre M. Thull que je me suis livré à une vaste opération de corruption désormais établie était chose facile : le réflexe de préserver une carrière que l'on ne veut pas voir compromise est souvent le premier...

Patrick Thull donne la priorité à l'idée que les autres se font de son honneur plutôt qu'à son honneur lui-même. Mieux vaut la liberté, y compris dans le déshonneur. Une fois convaincu, peut-être avec l'aide d'une garde à vue mal supportée, que l'opération de corruption a bien eu lieu, M. Thull a deux alternatives : ou bien il se tait et il est le premier complice puisque c'est lui qui a conduit le dossier administratif et financier de la privatisation des eaux de Grenoble. Et alors, comme pour Alain Carignon, c'est la prison. Ou bien il la dénonce, apporte des éléments qui condamnent Alain Carignon et il est épargné. Peur, lâcheté, absence de dignité que l'on doit sans doute camoufler dans ces cas-là derrière la sauvegarde de sa famille – méfiance du «qu'en dira-t-on»... Tout cela rend-il le choix facile? J'ai pu constater, avec ce fonctionnaire que l'ignominie n'a pas de limite. Quand je pense aux héros des maquis du Vercors ou d'ailleurs qui, pendant la Résistance, mouraient sous la torture pour défendre la vérité, je mesure ce que nos sociétés douillettes ont fait de certains hommes.

En tout cas, voici un haut fonctionnaire qui aurait appris au début du mois d'octobre 1987 qu'un «pacte de corruption» existait, se serait mis le lendemain au travail pour l'appliquer scrupuleusement, le concrétiser, et aurait travaillé si vite et si bien que trois mois plus tard, en décembre 1987, il aurait sollicité son ministre-maire pour lui présenter un beau dossier de privatisation bien bouclé. Comme celui-ci refusait le dossier, il aurait attendu juillet 1989 pour le présenter au Conseil municipal, soit deux ans pour finaliser un acte de corruption exceptionnellement grave, dont il avait une claire conscience depuis ce jour d'octobre 1987; dans notre système judiciaire, ce haut fonctionnaire, qui dénonce un «pacte de corruption» et reconnaît un beau jour de janvier 1995 qu'il n'y en avait pas, n'est à aucun moment mis en examen par M. Courroye, ni pour complicité de corruption ni pour faux témoignage! Aujourd'hui, cet homme-là coule des jours malheureux mais libres auprès des siens...

Ce « soi-disant » ministre de l'Ecologie

« Alain, Jacques Chirac cherche à vous joindre. Il veut vous proposer d'entrer au gouvernement comme secrétaire d'Etat à l'Environnement... » Ce mardi 18 mars 1986, Edouard Balladur est heureux de me faire cette proposition. Etrange, je ne pensais pas être convié à faire partie du gouvernement, comme ça, à 22 heures 30, dans une cabane de type Algéco, en bordure du « Zénith » à Paris. Une table sert de bureau avec des papiers épars. Je tiens le combiné d'un vieux téléphone gris. Jacqueline, en pantalon, est adossée au mur, décontractée, un genou relevé. Boyer, mon jeune collaborateur, est resté dehors. Le bruit de la musique et des chansons résonne certainement à l'autre bout de l'appareil. Edouard Balladur ne commente pas, mais n'en pense pas moins. Le nouveau Premier ministre me cherche. Je travaille depuis deux ans pour Jacques Chirac sur les dossiers Transport, Logement, Environnement. Le président du RPR m'a bien informé au début de cette année 1986 qu'il comptait me faire participer à son gouvernement si François Mitterrand le nommait. Depuis mon élection à Grenoble, je figure parmi les «ministrables». Mais, désigné chef du gouvernement depuis deux jours, Jacques Chirac ne m'a pas appelé. Jacqueline et moi avons bien mérité cette soirée pour applaudir Renaud : sa voix lancinante, sa musique répétitive, la poésie de ses paroles qui disent aussi le cœur et la misère du cœur, ces mots d'une révolte qu'au fond, je partage... La foule du concert embrasse tout entière la même utopie.

Cela me contrarie vraiment beaucoup de rater cette opportunité. Mais je n'ai pas besoin de réfléchir. Je ne peux pas dire oui à Edouard Balladur :

— Remerciez Jacques Chirac. Je suis touché. Mais ce n'est pas possible. Ni pour l'Environnement qui a besoin d'un ministre, ni pour Jacques, ni pour moi...

— Il en est conscient, réplique Balladur. Le problème, c'est Méhaignerie. Le Premier ministre veut regrouper les fonctions autour des ministres et Pierre Méhaignerie veut des secrétaires d'Etat, pas des ministres-délégués... »

— Tant pis pour moi. Ça m'aurait passionné... »

Jean-François Boyer est déçu. Jacqueline me serre le bras et je retourne au concert avec la dignité d'un ancien ministre qui ne le sera pas.

Renaud chante : «A m'asseoir sur un banc cinq minutes avec toi, et regarder les gens tant qu'y en a, à parler du bon temps qui est mort et reviendra, en serrant dans ma main tes p'tits doigts, à donner à bouffer à des pigeons idiots, leur filer des coups de pied pour du faux, à entendre ton rire qui lézarde les murs, qui sait surtout guérir mes blessures, te raconter un peu comment j'étais minot, les bonbecs fabuleux qu'on piquait chez l'marchand carasacs et mintos, caramels à un franc et mistrals gagnants. A marcher sous la pluie cinq minutes avec toi et regarder la vie tant qu'y en a, te raconter la terre en te bouffant des yeux, et entendre ton rire comme on entend la mer... »

Même s'il y a encore de bons moments, ça n'a plus la même saveur. Après le concert, j'appelle Bernard Stasi, un ponte du CDS, le parti que Méhaignerie préside. A distance, Stasi et moi sommes si souvent d'accord. J'apprécie l'homme, ses convictions, son ouverture. Généreux, il ne fait pas de remarque sur l'heure avancée. Jusqu'à l'annonce de la composition du gouvernement sur le perron de l'Elysée, tout le monde est sur le pont.

— Je connais un peu Pierre Méhaignerie. Je ne comprends pas sa position, si c'est sa position. J'ai la capacité de travailler loyalement avec lui étant ministre. Il est exclu de marginaliser l'Environnement.

Y a-t-il quelque chose entre lui et moi que j'ignore ?

Bon Samaritain, Bernard Stasi passe la nuit à s'occuper de mon cas. Il me réveille à 7 heures le lendemain matin. Je joins Pierre Méhaignerie. A 7 heures 30, Jacques Chirac est au téléphone : « Tes petits problèmes sont résolus. Je suis heureux pour toi. »

Comme toute la classe politique, j'attends 18 heures 30, le jeudi 20 mars 1986, que Jean-Louis Bianco, secrétaire général de l'Elysée, donne la liste du gouvernement. La seule décision que je prends en moi-même est de nommer Jean-François Boyer chef de cabinet qui m'a retrouvé dans la foule du Zénith.. Il sera ainsi le plus jeune à occuper cette fonction. Et moi le plus jeune ministre de ce gouvernement.

*
* *

Ma première passation de pouvoir est un moment important pour moi. Elle a lieu avec Huguette Bouchardeau à Neuilly. C'est décevant : le ministère de l'Environnement est noyé dans un immeuble d'habitations. Géographiquement marginalisé, il l'est aussi administrativement. Je vais vite remédier au premier handicap en m'installant avenue Georges Mandel. Comme d'autres ministres, je combattrai assidûment le second.

Ma tâche est exaltante. Elle transcende clivages et échéances politiques. Elle est à l'échelle, au rythme de la nature et de la terre. Je m'y attelle avec un bonheur qui se voit. Huguette Bouchardeau, derrière son itinéraire militant, est un personnage à multiples facettes. Elle a accepté, à un moment de sa vie, le compromis avec la réalité gouvernementale. Plus tard, elle a abandonné la vie publique pour se consacrer à la réflexion et à l'écriture. Un chemin en apparence chaotique qui marque, au contraire, un grand désir de cohérence avec soi-même. Je lui succède après un bref et sympathique échange. Je n'y avais pas pensé, mais je succède aussi à Haroun Tazieff, secrétaire d'Etat, «chargé des Risques Technologiques et Naturels Majeurs». Jacques Chirac a regroupé les deux fonctions. Tazieff est un mythe : l'aventure, la passion, la connaissance, les grands horizons. Il réveille toujours la part insubmersible d'émerveillement et d'enfance qui est en chacun de nous. La meilleure. Son domaine m'est étranger. A notre première rencontre, je le lui dis. En parlant, je pense : «si Tazieff sort de là, dit à la télévision, "le nouveau ministre m'a affirmé qu'il n'y connaissait rien", je suis foutu». L'instinct me guide : «Soyez mon professeur, aidez-moi à remplir cette mission.

Vous êtes le mieux placé. Et l'intérêt général impose la continuité dans un tel secteur. »

Tazieff répond « oui » sans réfléchir. Le secrétaire d'Etat de Laurent Fabius va donc aider le ministre de Jacques Chirac. Inimaginable !

L'irrésistible visage buriné, l'accent rocailleux, les formules définitives, l'enthousiasme communicatif, les vestes et les pantalons de velours côtelé et même les chaussures de randonneur qui tranchent avec nos élégants mocassins de ville... Je suis aussitôt sous le charme. De ce jour, en 1986, à aujourd'hui, nous ne fûmes pas toujours d'accord, mais nos rapports, eux, furent toujours authentiques. Je le revois ce dernier été avant la prison. Il arrive chez moi, à Saint-Romans, sous le cèdre. Avec un panier de légumes et de fruits sous le bras, produits de son jardin de Mirmande. Il le rapporte à son épouse, France, restée à Paris. Nous déjeunons ensemble. Lui, avec sa « gueule », sa vitalité, sa chaleur. Mille projets. « Tout se déglingue, je le sais. » C'est dit en passant. Il a 80 ans et ne regarde jamais dans le rétroviseur de sa vie.

Là, au moment de passer les pouvoirs, Tazieff dit « oui ». Et puis, il ajoute : « Je sors d'une expérience gouvernementale décevante. Trop de blocages, de compartiments, d'oppositions entre administrations. Je n'ai pas pu faire bouger les choses. Commençons à la base. Conduisons une "opération pilote" dans l'Isère. Avec vous, ministre, et le préfet, il y aura unité de commandement. L'appui des communes et du Conseil général. Personne ne pourra se récuser. Ce qui peut être réalisé à l'échelle d'un million d'habitants peut être étendu à 55 millions... »

C'est parti. Il ne me donne qu'un seul conseil que je ne suis pas : « Séparez-vous tout de suite de Renaud Vié le Sage que j'ai nommé au Risques Majeurs. C'est un incompétent et un ambitieux. Je me suis trompé sur lui. »

Dans l'Isère, pendant ces deux années de vie gouvernementale, Tazieff entraîne avec fougue derrière lui 200 chercheurs, syndicalistes, patrons, enseignants, élus fonctionnaires... Pierre Grataloup met l'Association des Maires dans le coup. Ce premier vice-président du Conseil général, fidèle, amical et dévoué, assumera plus tard mon rôle à la tête du département.

Objectif de l'opération ? Recenser tous les risques possibles et imaginables. Qu'ils soient naturels ou technologiques. C'est unique au monde. Avec la plaine et la montagne, les torrents, les fleuves, les lacs, toutes les industries, l'Isère est représentative de la France tout entière. Il s'agit d'établir la liste des risques avec une échelle de leur importance et le calcul de leur probabilité. Tazieff démontre que l'accident le plus risqué, le plus mortel, à savoir le nucléaire, est le moins probable. Que faut-il retenir ?

le niveau de danger ou la probabilité ? On dessine la carte des axes de circulation des trains et des camions de matières dangereuses : elle est croisée avec les itinéraires de gazoducs enterrés qui traversent la France. On va jusqu'à mesurer le degré de vraisemblance d'une collision entre un camion de matière inflammable et un train de produits explosifs à un passage à niveau qui enjambe un gazoduc ! Les probabilités pour que cette hypothèse se réalise sont infimes, voire nulles si l'on modifie l'itinéraire du camion... Tazieff élabore des instruments de contrôle. Nous expérimentons le système VAN de surveillance des tremblements de terre, objet de polémiques quant à son efficacité. Tazieff exige des systèmes d'alerte et de sécurité pour tous les risques qui ne peuvent être supprimés. Grâce à cela, il détecte le futur éboulement rocheux de Séchilienne, dans la vallée de la Romanche : un réseau de surveillance de ce secteur, avec une alarme fonctionnant 24 heures sur 24 a été mis en place. L'Isère est une zone exemplaire.

Elle n'est pourtant pas à l'abri des violents caprices de la nature : à la Salle en Beaumont, dans la nuit du 8 janvier 1994, une retenue d'eau naturelle cède après des pluies torrentielles, emportant hommes et maisons. L'espace a pourtant été classé sans danger par les experts ; pas d'urbanisation sauvage, pas de macadam pour transformer les eaux de ruissellements en torrents. De mémoire d'homme, il ne s'était jamais rien produit de malheureux à cet endroit. Les maisons emportées étaient à proximité de l'église qui date de 1902.

*
* *

En 1988, Louis Mermaz, que j'ai battu à la présidence du Conseil général trois ans auparavant, cherche à prendre sa revanche. C'est un adversaire de haut niveau, coriace, accrocheur. Au cœur de Grenoble, il désigne un candidat, médecin populaire à la retraite, résistant incontesté, père du chanteur Michel Fugain : le Docteur Fugain. C'est un « bon coup » politique. Si la majorité qui me soutient perd ce siège, le Conseil général bascule. A un an des municipales de 1989, je suis en danger à Grenoble !

Après deux ans de collaboration, je dis à Tazieff :

— Je souhaiterais que vous soyez candidat au Conseil général de l'Isère.

— Je vous réponds oui et je réfléchis après...

Pour moi, c'est la définition même de la jeunesse. On peut toujours changer d'avis après réflexion. Mais le cœur parle d'instinct, débarrassé des contingences, des a priori. Il a si souvent raison.

— J'ai réfléchi et je ne peux pas. Je suis maire de Mirmande, dans la Drôme.

Heureusement, ce n'est pas incompatible. Mon fidèle ami et adjoint, Claude Sagnard, conseiller général RPR de ce canton clef, cède son siège avec abnégation. Tazieff s'adresse aux militants RPR-UDF en leur rappelant sans cesse son appartenance au gouvernement Fabius et sa fidélité à la gauche ! A l'ensemble des électeurs, il précise que les problèmes particuliers du canton ne l'intéressent pas. Sa candidature est motivée exclusivement par la nécessité de garantir financièrement et administrativement l'expé-rience « Isère-Département pilote » contre les risques majeurs. Il est largement élu. En six ans d'une collaboration sans faille, son travail deviendra réalité.

*
* *

Renaud Vié le Sage, délégué aux Risques Majeurs, dénonce « MM. Chirac, Premier ministre et Carignon, ministre de l'Environnement, quand ils s'exonèrent de leur responsabilité. Déclarer que la catastrophe était imprévisible est une insulte à l'honnêteté intellectuelle et une insulte à la mémoire des 40 disparus ». Il démissionne de sa fonction auprès du ministre de l'Environnement.

Trois jours auparavant – un 14 juillet – la crue démentielle d'un torrent proche a emporté un camping-caravaning au grand Bornand en Haute-Savoie.

C'est insoutenable : certains ont perdu une femme, un enfant, un mari. D'autres sont morts simplement d'avoir voulu récupérer un sac ou un objet, de ne pas avoir été retenus, d'avoir hésité. D'une main lâchée.

Plutôt que de suivre le conseil d'Haroun Tazieff j'avais souhaité que M. Vié le Sage achève son contrat auprès de moi encore un an : il prend fin ce mois de juillet 1987 ! Voilà pourquoi le 17 juillet, il peut annoncer «avec fracas» sa démission. Télévisions, radios, journaux louent le courage de ce haut fonctionnaire intègre qui dénonce et s'en va.

J'ai une immense compassion pour les victimes de la tragédie. Elle m'émeuvent profondément. Je suis choqué de voir à la TV un départ programmé se transformer en démission accusatrice. Bien entendu, personne n'entend le communiqué officiel du ministre de l'Environnement. J'appelle Haroun Tazieff à Mirmande, le samedi 18 juillet.

— Vous savez ce que je pense de Vié le Sage... Je l'avais nommé mais vous n'auriez jamais dû le garder.

— Je ne suis pas entendu par les médias car sa prétendue démission donne du poids à son argumentation.

— Je suis prêt à parler de lui, moi.

Une équipe de France 3 va interviewer Tazieff à Mirmande. Le soir même, sur les chaînes, on entend la voix rocailleuse dire que M. Vié le Sage est un ambitieux, un incompétent et que ses fonctions prenaient fin ce mois-ci...

Des propos définitifs qui mettent fin à la polémique. L'ancien délégué teste sa célébrité en écrivant un livre sur le sujet.

*

* *

Lundi 28 avril 1986, dans la soirée, la télévision soviétique apprend au monde l'existence d'une petite ville d'Ukraine, au nord de Kiev, appelée Tchernobyl. En même temps, l'ère nucléaire connaît son premier drame. Les Russes ne peuvent plus en retarder l'annonce bien que 45 000 personnes aient déjà été évacuées dans le secret. Le matin même, à 7 heures, une employée de la centrale de Forsmark en Suède, près de Stockholm, passe comme chaque jour en arrivant, le test de radioactivité : le détecteur signale avec insistance que ses chaussures sont radioactives. Immédiatement le système de contrôle de la centrale est vérifié et à la fin de la matinée, les conclusions sont formelles : tout est normal à Forsmark. En d'autres points de la Suède, on mesure dans la journée des montées de la radioactivité ambiante. Or le vent d'est ne date que de la veille. Alors la TV soviétique lâche la vérité. L'accident s'est produit trois jours auparavant, le samedi 26 avril, vers

1 heure du matin. Le toit de la centrale de Tchernobyl se soulève et les produits radioactifs sont projetés alentour. Un nuage de poussières radioactives s'élève pour entamer son périple en Europe de l'Ouest. La France ne sait rien. La Suède est loin. Tchernobyl encore plus. Personne ne bouge, abasourdi par la nouvelle. Les spécialistes se concertent entre eux. ministre de l'Environnement depuis moins de deux mois, je cherche en vain l'ambassadeur d'URSS. Je souhaite être informé. On m'explique que la sûreté des installations nucléaires dépend d'Alain Madelin, le ministre de l'Industrie; la santé publique et le contrôle de la radioactivité du ministre de la Santé, Michèle Barzach; les plans d'évacuation, de secours de Charles Pasqua, ministre de l'Intérieur; le contrôle des produits agricoles de François Guillaume, ministre de l'Agriculture! Rien ne dépend du ministre de l'Environnement!

La France est étonnamment calme en ce mercredi 30 avril. Il est vrai que le 1er mai «tombe» un jeudi, le seul jour de l'année sans presse. Le premier «pont» de l'année depuis les élections. Paris est vide. Les grandes villes aussi. Le temps est splendide. Mais ce 1er mai, la France buissonnière reçoit la radioactivité la plus intense sur 3/4 de son territoire. (Seule la Bretagne est épargnée.) Personne ne le sait. Aucun ministre n'est informé de ce fait le jour même. Ni le lendemain, vendredi 2 mai. A ma connaissance, ni l'IPSN qui dépend du CEA, ni le service de protection contre les Rayons dirigé par le professeur Pellerin, ni la direction de la Qualité du ministère de l'Agriculture n'ont alerté en temps réel leurs ministres respectifs.

Lorsqu'en RFA, par surenchère politique, les landers abaissent arbitrairement les seuils de tolérance à la radioactivité et interdisent la consommation de certains produits, le débat s'ouvre. Le SCPRI du professeur Pellerin m'explique une histoire d'unité de mesure incompréhensible. Faut-il retenir celle du millirad ? du Rad ? du becquerel ? Dans tous les cas, on ne peut raisonner qu'en moyennes et si possible annuelles. Sans quoi une argumentation n'a pas de signification par rapport aux normes. Mais si le nuage radioactif est en RFA, peut-être franchira-t-il la frontière ? Non. Il évite notre territoire. Il s'est arrêté aux portes de Monaco ! La patrie est épargnée grâce à l'anticyclone des Açores !

Mais des militants antinucléaires, en France, publient des communiqués sur la montée de la radioactivité. Alors le SCPRI veut bien reconnaître que le nuage est bien passé sur notre territoire mais ne s'est pas « déchargé ». L'absence de pluie a évité la contamination.

Le 6 mai, le ministre de l'Agriculture publie un communiqué selon lequel « le territoire français, en raison de son éloignement, a été totalement épargné par les retombées radio nucléaires». Le 6 mai, il est vrai, le nuage a totalement disparu du ciel français. François Guillaume ne le sait pas. Moi non plus. Je suis à peine au courant qu'il est venu.

A ma question simple «oui ou non, en un quelconque endroit du territoire, un habitant court-il un risque?» la réponse ne l'est pas. «Selon nous aucun risque, mais on ne peut pas le déterminer avec le relevé quotidien qui n'a pas dépassé les normes autorisées; car il faut établir des moyennes.» Il faut aussi les rapporter aux produits consommés, à l'air absorbé...

Cette incommunicabilité et les incohérences m'inquiètent. Le cafouillage généralisé, l'absence de maître d'œuvre unique prouve une imprévoyance coupable. Tout repose sur le professeur Pellerin et son équipe qui supportent une responsabilité écrasante. Estimant le risque nul, au lieu de faire partager leur démarche aux politiques ou aux Français, ils biaisent ou veulent rassurer. Sans malhonnêteté d'ailleurs; mais les ministres ne sont pas en position de remplir leur mission. Alors le SCPRI, dont la compétence ne peut être mise en doute, a un rôle qui le dépasse. Michèle Barzach, son ministre de tutelle, le sait. Alain Madelin, responsable de la sécurité nucléaire, aussi. Charles Pasqua, chargé des secours, ne dit rien. Le ministre de l'Environnement est harcelé.

Et la France s'arrête de nouveau le 8 mai. Le samedi

10 mai, à Limoges, à l'assemblée générale de la Fédération des Sociétés de Protection de la Nature, je réaffirme ma conviction : « Une société civilisée comme la nôtre doit informer la population. » Je reçois un accueil sympathique. Mais, maladroitement, j'explique que nous avons tous une part de responsabilité. Et les médias aussi. Patatras ! Je deviens le symbole du silence, des atermoiements, des incohérences gouvernementales sur Tchernobyl, d'autant qu'au lieu de me retirer sur la pointe des pieds, je récidive sur Antenne 2.

De Limoges, j'ai foncé à Grenoble pour tenir la promesse faite à mon ami Christian Gauduel d'inaugurer une partie du golf de Bresson. Le dimanche 11 mai, en descendant de cette petite commune pour aller au studio de France 3, répondre en direct au journal de 13 heures, je sais que je ne pourrai pas répondre avec précision et clarté à des questions que je poserai moi-même ! Le bilan n'est pas fameux.

Le 12 mai, l'éditorialiste de *Libération* résume les choses : « S'il faut à cette dérision un visage, on peut facilement le trouver dans celui du soi-disant ministre français de l'Environnement. Celui-ci a la réputation d'être moderniste et tolérant, possède une moustache avantageuse : est-ce ce qui l'a conduit à se conduire en paillasson parmi les carpettes ? Pourtant, ce pauvre Carignon, après quinze jours de lâcheté ou d'incompétence (ou les deux à la fois), trouve un moyen de récidiver dans la turpitude : c'est la faute aux journalistes... »

La veille, 15 jours après l'accident, les Soviétiques avouaient au monde : « A compter de ce jour, il n'y a plus de possibilité théorique de catastrophe. » Ce qui signifiait que, depuis quinze jours, nous étions sur un volcan. Sans le savoir.

Ma première réaction : chercher à savoir enfin si des Français ont subi des dommages. Si oui, je dois démissionner. Alors on vérifie, on calcule, on réclame. J'ai réétudié à la prison Saint-Joseph le cas hypothétique de cet habitant de la Meuse (où la concentration fut maximale) qui a bu un litre de lait chaque jour pendant douze jours. J'ai doublé – par précaution – les doses relevées par le SCPRI. Cet individu a ingéré 8,640 becquerels. Il a inhalé 30 m^3 d'air par jour pendant trois jours à 750 becquerels, soit 2 250. S'il a consommé des épinards en quantité industrielle pendant la même période (ils absorbent plus aisément les pluies radioactives de par la formule de leurs feuilles) : 1 000 becquerels supplémentaires. Bref, cet habitant malchanceux est censé avoir absorbé 12 000 becquerels. Or le seuil de tolérance est à 100 000 par ingestion – eau, lait, légumes) et à 200 000 par inhalation (radioactivité de l'air).

Seconde décision : ces jours de honte, cette désorganisation, ces blocages qui, par chance, n'ont pas eu de conséquence sur la sécurité et la santé des Français ne doivent plus se reproduire. Mais je mesure la force des lobbies et la durée de vie d'un gouvernement. Jamais je ne parviendrai en si peu de temps à faire rendre un arbitrage entre Michèle Barzach, Charles Pasqua, Alain Madelin, François Guillaume et moi : chaque ministre et chaque administration défendra son pré carré, une fois l'émotion retombée elle aussi. Je convaincs Jacques Chirac de la nécessité d'une loi «Risques Majeurs» : elle établira le «droit à l'information» permettant à la société civile, aux collectivités locales, aux associations – par leurs activités et leurs réclamations – d'imposer, à la base, une remise en ordre et d'élever le niveau d'exigences de notre pays en matière d'information». Si j'avais à affronter seul les réticences de Michèle Barzach, Alain Madelin, François Guillaume et Charles Pasqua, je ne parviendrais pas à mes fins en un an. A deux, je suis certain de passer l'épreuve, vaincre les lobbies, et la frilosité des bureaux. J'emporte l'adhésion de Charles Pasqua pour que nous présentions ensemble une loi qui, pour la première fois de notre histoire législative, traitera en même temps de la prévention des risques dont je suis chargé et des secours dont lui est responsable.

Ainsi j'allais être en mesure de réparer la façon honteuse dont la France avait abordé le premier accident de l'ère nucléaire. Il y avait eu là tous les ingrédients de l'échec : le secret soviétique, l'impréparation, la dispersion des responsabilités, l'absence d'organisation quant aux problèmes trans-frontaliers, le cafouillage généralisé qui fit supporter à des fonctionnaires la charge de ce qui aurait pu être un terrible drame.

La loi sera promulguée un an après, le 22 juillet 1987. Elle englobe tous les aspects des risques, leur prévention, comme l'organisation des secours. Elle stipule en son article 21 : «Les citoyens ont un droit à l'information sur les risques majeurs naturels auxquels ils sont soumis dans certaines zones du territoire et sur les mesures de sauvegarde qui les concernent. Ce droit s'applique aux risques technologiques et aux risques naturels prévisibles. Un décret en Conseil d'Etat définit les conditions d'exercice de ce droit. Il détermine notamment les modalités selon lesquelles les mesures de sauvegarde sont portées à la connaissance du public ainsi que les catégories de locaux dans lesquels les informations sont affichées. »

A l'Assemblée nationale, comme au Sénat, du Front national aux communistes, personne ne votera contre cette loi. En cette période de cohabitation, ce n'est pas une mince affaire.

Mais je n'en reste pas là : les ministres de la Communauté européenne s'engagent à recenser et à confronter leurs moyens de contrôle et de secours. Et surtout pour éviter les futurs Tchernobyl et Bhopal (accident chimique en Inde) j'obtiens de l'OCDE que tous les pays industrialisés s'engagent à n'exporter leurs industries à risques qu'aux normes de sécurité occidentales. Pour éviter qu'une telle industrie ne s'implante dans le tiers-monde sans considération pour les hommes ou l'environnement. Les lobbies internationaux entrent en action. Tous n'apprécient pas mon combat. A côté d'une majorité de grands groupes responsables, certains aimeraient au moins «gagner du temps». Le nucléaire, la chimie notamment sont concernés. Là encore, ce n'est pas le marché de l'eau de la ville de Grenoble! Il y a d'autres enjeux, d'autres forces, d'autres moyens! Je suis inflexible: la France se dote d'une législation, l'Europe élabore une politique et la communauté des pays avancés se fixe des règles qui s'appliquent à toutes leurs industries...

*

* *

Bon sang! Non seulement les accidents ne connaissent pas les «ponts» français, mais ils choisissent aussi les week-ends pour se produire! Samedi 1er novembre, vers 0 heure, un grave incendie se déclenche à l'usine Sandoz de Bâle: 1 250 tonnes d'insecticides, de pesticides, de fongicides et de produits agro-chimiques se répandent dans l'atmosphère et forment un nuage de gaz à l'odeur fétide. «Un Tchernobyl chimique» dira la presse. A 5 heures 30, la préfecture de Colmar est informée. Le ministre de l'Environnement, le samedi matin à l'aube. Evidemment, on ne sait rien. Rien sur les quantités. Rien sur les niveaux de toxicité. On découvre l'inexistence d'un système d'alerte rapide et fiable entre les pays. Et ce dans une région d'Europe où tant d'industries à risques sont réparties de part et d'autre des frontières.

Environ 150 000 anguilles ont trépassé immédiatement. Entre Bâle et Karlsruhe en RFA, le mercure est descendu plus rapidement au fond de l'eau où vivent la faune et la flore aquatiques. Le Rhin est pollué de la Suisse aux Pays-Bas en passant par l'Allemagne, le Luxembourg et la France.

Dimanche, harcelé, j'annonce que «nous devrons réparer les dégâts et la Suisse payer la note». Je pense tout de suite à la pollution du pétrolier Amoco-Cadiz; la marée noire date de 1978. La réparation et l'indemnisation interviendront en 1992. Soit quatorze ans après!

Cette nouvelle affaire est, elle aussi, mal partie: vive émotion, plusieurs pays concernés, une grande multinationale en face... Je veux éviter la répétition. Inventer le premier accord international «amiable» avec une multinationale. Les protecteurs de l'environnement y ont intérêt pour qu'il y ait un assainissement rapide du Rhin. Les commerçants, les pêcheurs, pour obtenir sans traîner une indemnisation. Et enfin Sandoz pour s'épargner la mauvaise image de marque et les conséquences durables sur le cours de ses actions qu'un long procès accusateur produirait immanquablement. Les objections à ce projet, très nombreuses, doivent être combattues une à une. Jean-Louis Dutaret, avocat international, Henri Toutée, mon directeur de cabinet, maître des requêtes au Conseil d'Etat, sont séduits. M. René Basdevant, PDG de Sandoz-France, la soixantaine élégante et sportive, est un homme calme, pondéré. Il acquiesce d'instinct à l'idée. D'un accident, d'une faiblesse, Sandoz peut faire un atout. S'il reconnaît la pollution et prouve sa volonté de réparer, il s'en tire bien. Dans le cas contraire, la marque sera attaquée, salie et je serai moi-même contraint à de rudes déclarations. Les conséquences sur la Bourse sont imprévisibles. Le PDG international de Sandoz, M. Marc Moret et son conseil sont vite convaincus. J'ai carte blanche. Je choisis Brice Lalonde pour m'aider dans cette opération. En 1986, il s'ennuie. Il est hors du circuit politique depuis l'échec européen de la liste ERE. Mon ambition est d'en faire un député européen en 1988 pour jouer l'ouverture sur la liste RPR. Et un soutien de Jacques Chirac à la présidentielle. Et un ministre technicien... Rien de cela ne sera suivi d'effet... dans mon camp. Lalonde est compétent, respecté, reconnu; son travail ne peut être contesté, ni son indépendance d'esprit. Il réunit les experts, évalue les dégâts du Rhin, chiffre la note que Sandoz s'engage par avance à régler. Quelle qu'elle soit.

Grâce à une intense activité diplomatique, j'obtiens de l'Allemagne, des Pays-Bas, du Luxembourg et de la Suisse un accord international sur la base de ma formule. Jean-Louis Dutaret et Henri Toutée se battent pour faire tomber les barrières administratives qu'on ne manque pas de placer sur mon chemin. Ce serait évidemment plus confortable de répondre à tous ceux qui protestent : « nous avons déposé plainte... » et d'attendre une décennie !

Au printemps suivant, la totalité du dossier est réglée ; le rapport Lalonde rendu. Le Rhin assaini. Les dizaines de millions de francs exigés, versés. Aucune plainte déposée. Ni d'un Etat, ni d'une entreprise, ni d'un particulier.

Aujourd'hui, évoquant cette aventure originale où tout reposa sur la conviction, la confiance en la parole donnée, je songe aux dizaines de millions de francs en jeu, à cette multinationale aux moyens de financement répartis sur toute la planète. N'ai-je pas bénéficié de déplacements en avion privé ? Chez qui ai-je logé ? Je suis certain de n'avoir jamais été imprudent. Ni d'avoir été tenté de l'être. J'étais tendu vers l'objectif. Comme dans mes autres actions, j'ai le souvenir de dirigeants honnêtes, aux rapports francs. Un juge pourrait-il trouver à y redire ? Peut-être. Mais si chacun doit avoir fait le tour de ces questions avant d'agir, je suis persuadé que l'immobilisme deviendra une prime fantastique pour les hommes publics ou les chefs d'entreprise sans courage.

L'expérience d'un échec

Au printemps 1989, aux côtés de Dominique Baudis, Michel Noir, François Fillon, Charles Millon, Michel Barnier, Philippe de Villiers, Etienne Pinte, François d'Aubert, François Bayrou, Bernard Bosson, je signe les statuts des «Rénovateurs». J'avoue ne pas les avoir lus. Je ne dois pas être le seul. L'association élit domicile 286 boulevard Saint-Germain. Jean-Louis Dutaret, qui a préparé les textes, nous héberge. Chaque fondateur doit faire figurer son adresse personnelle. Aucun n'inscrit son domicile réel. Plutôt l'adresse d'une mairie ou d'un Conseil général. En face de mon nom Jean-Louis Dutaret a écrit : «286 boulevard Saint-Germain.» Je signe sans lire. Je dispose bien, lorsque je suis à Paris, de la chambre attenante aux bureaux, mais je n'y vis pas. Et d'autres que moi utilisent aussi cette pièce. Ce printemps 1989 je renoue petit à petit avec la vie parisienne : je sors de trois campagnes électorales éprouvantes, à l'issue de la présidentielle, qui m'ont retenu dans l'Isère. Elections législatives de juin 1988, cantonales d'octobre 1988, et municipales de mars 1989 ! Trois élections en moins d'un an ! Lorsque la société Whip a acheté les bureaux à M. Merlin, je n'en fais évidemment pas partie. Ni directement, ni indirectement. D'ailleurs je n'ai sollicité personne pour y figurer comme administrateur. Je n'y ai aucun intérêt personnel. Elle ne me versera jamais d'argent. Lorsque je me rends dans ces locaux et que je rencontre Jean-Louis Dutaret, je constate qu'il mène une activité débordante. Je n'ai pas l'impression d'une «officine» à mon service. Même si je peux téléphoner, recevoir, utiliser sporadiquement des collaborateurs. Je ne suis parisien que quatre à cinq jours par mois ! Je n'ai pas la sensation d'abuser d'une société.

En signant ces malheureux statuts des Rénovateurs, j'ignore qu'ils seront, chez le juge, le seul document mentionnant le boulevard Saint-Germain comme indication de mon domicile. Même si j'avais pris le temps de les lire j'aurais signé. Ma domiciliation «politique» me semble sans importance. Comme pour chacun des Rénovateurs.

L'aventure seule m'intéresse. Batailler contre les appareils politiques qui ne veulent pas tirer les conséquences de l'échec présidentiel. Empêcher le grand retour de Giscard qui veut s'imposer à la tête de la liste européenne de l'opposition ! Le « verrouillage » auquel se livrent, ensemble, Jacques Chirac et VGE, chacun dans sa formation, fait monter la tension. C'est insupportable. La machine s'emballe. Le VIIe arrondissement aussi. Comme en 1968, les « AG » et les « forums » décident, parfois dans la confusion. Nous sommes douze. Douze rénovateurs pour certains. Douze salopards pour d'autres. On se téléphone souvent. On rencontre encore plus de journalistes. On nous piste. Et si la rénovation était en marche ? Nicolas Sarkozy conserve son calme. Il me décrit l'issue de cette aventure comme une impasse. Il s'épargne donc d'emprunter une route qui ne mène nulle part. Il est vrai que douze ambitions cumulées ne font pas une ambition collective. Une ambition collective sera toujours une ambition individuelle qui a réussi. N'empêche : il y a du frais, du naïf, du vrai dans ce mouvement. L'apostrophe calculée de Dominique Baudis, un dimanche soir à 20 heures sur TF1, appelant Giscard à son retrait, s'adressant à lui à travers la caméra, demeure un grand moment.

L'ample mouvement peut tout emporter. Nous ne renverserons rien. Onze personnalités se refuseront toujours à suivre une douzième. Michel Noir et Dominique Baudis sont incontestablement les mieux placés pour conduire cette liste européenne « de la Rénovation ». Evidemment, pour les autres, la conséquence eût été de mettre sur orbite un homme de la même génération. Que d'ennemis à cette solution, outre nombre des Rénovateurs : les responsables des partis. Les amis de François Léotard. Les amis de Philippe Séguin. La fête s'achève. Elle n'a pas été inutile. Quelque chose de collectif nous lie, qui n'est pas rien : l'expérience d'un échec.

•

Déjeuner de fauves

«Oui, vous pouvez y compter. N'ayez pas de doute là-dessus.» Le Premier ministre est debout. Il est 12 heures 30 et son bureau toujours vide est en partie baigné de soleil. Le reste de la pièce est dans un clair-obscur où luisent les boiseries marron glacé. Edouard Balladur a deux doigts dans la poche droite de son gilet. Il s'avance, le menton relevé et s'arrête pour me répondre. Comme s'il avait à nouveau réfléchi en faisant trois pas. Il me regarde calmement. Je suis planté là, les mains jointes devant moi, à le fixer.

En ce mois de juin 1994, il est beaucoup question de Jacques Chirac. Je déjeune le lendemain en tête à tête avec le président du RPR. Je n'ai qu'une question à poser à Edouard Balladur. Elle est légitime. Je veux être honnête avec le maire de Paris.

— Monsieur le Premier ministre, serez-vous candidat à la présidence de la République quoi qu'il arrive et jusqu'au bout?

Edouard Balladur s'est arrêté et me fait face :

— Oui, Alain, vous pouvez y compter. N'ayez pas de doute là-dessus.

Ça me suffit. Dès ma nomination au ministère de la Communication, j'ai évidemment assimilé la détermination du Premier ministre. J'ai agi dans cet état d'esprit. Mais il est logique d'évoquer le «jusqu'au bout».

Quelques jours après, Edouard Balladur m'apostrophe :

— Alors, ce déjeuner, que vous a-t-on servi?

— Vous savez lorsque Jacques Chirac m'a raccompagné à ma voiture, comme il tient à le faire avec les ministres, j'étais dans cette cour de l'Hôtel de Ville. Au moment de partir, j'ai compris que, pour lui, j'étais une sorte d'enfant perdu...

— Eh bien vous n'êtes pas perdu pour tout le monde.

Je ne déteste pas cette apparente sûreté de soi. Elle dissimule aussi le besoin d'être aimé.

*

* *

Face à face avec Jacques Chirac dans sa vaste salle à manger de l'Hôtel de Ville. Balladur gouverne depuis quinze mois. On le découvre débarrassé de sa chaise à porteurs, bourré d'humour et d'autorité. Les sondages crèvent le plafond. Bref, tout ce que nous savons et ne disons pas. Mes rapports avec Chirac ont toujours été francs. Il connaît l'estime que je lui porte. Peut-être est-il un personnage de roman qui s'ignore? Sa personnalité complexe camoufle soigneusement ses sentiments, ses doutes, son désir permanent d'être utile. On raille souvent son activisme suspect, on se moque de son vocabulaire de charretier, excès chez lui calculé. Pudeur extrême? Blessure enfouie? Je ne sais. En tout état de cause cette espèce de fuite en avant perpétuelle lui permet d'assimiler les grands succès, de traverser les épreuves et les déconvenues. Dans ces domaines rien ne lui aura été épargné. Victoires comme défaites. Je suis ému par sa capacité de résistance. Depuis vingt ans, tous ceux qui ont été proches de lui l'ont successivement abandonné. Ils ont été déçus par l'homme; ou ils s'estiment mal récompensés. Ceux qui lui demeurent fidèles aujourd'hui le sont pour capter ce qui resterait de son héritage partisan en cas d'échec. Ou pour partager l'essentiel de sa victoire en cas de succès. Il sait tout cela.

Au début du déjeuner, nous jouons au chat et à la souris. Au passage, il réécrit la petite histoire récente. Je ne réponds rien à tout cela. C'eût été un grand bonheur pour moi d'être ministre de la Culture. Le maire de Paris a pesé auprès «d'Edouard» en faveur de Jacques Toubon. Je me suis passionné sans remords ni regret pour la Communication.

— Tu sais Jacques, pour moi c'est simple. Je n'ai pas le cœur à jouer deux jeux à la fois. Ma vie serait trop compliquée. Pour être derrière toi, il faudrait à terme quitter le gouvernement. Or je n'ai pas du tout cette intention.

Voilà. Dès le début du déjeuner tout est dit. Le plus désopilant, c'est que je serais, plus tard, le premier des ministres à se retirer du gouvernement Balladur ! Pour d'autres raisons.

Jacques Chirac est clairvoyant : «Je connais la réalité. Je peux compter sur cinq ministres RPR : Juppé, Alliot-Marie, Toubon, Michaux-Chevry et Romani. C'est tout.»

Nous sommes en juin 1994 ! L'analyse est assez clairvoyante !

Une certaine hypocrisie de la vie en société – en politique comme ailleurs – est plus supportable si l'on a une bonne dose de lucidité.

*
* *

Sept ans auparavant j'ai ressenti cette même sensation. En cette même salle à manger de l'Hôtel de Ville de Paris au cours d'un petit déjeuner. Autour de Jacques Chirac, Premier ministre, il y a Alain Juppé, Michèle Barzach, Michel Noir et moi. Michel Noir vient de faire paraître, à la une du *Monde*, le 15 mai 1987, son fameux article : «plutôt perdre les élections que perdre son âme». Nous sommes d'accord sur le fond avec Michel Noir, même si nous ne l'aurions pas exprimé de cette manière. Il convient de trancher publiquement la question de la proximité du candidat Chirac avec le Front national. Pour Jacques Chirac, je sais le problème résolu. Par nature, il n'a rien à voir avec Jean-Marie Le Pen et ses thèses. Mais Charles Pasqua, lui, chasse sur ces terres-là. Ce n'est pas un petit déjeuner «d'échange». Jacques Chirac assène : «J'ai choisi la stratégie Pasqua pour la présidentielle et je n'y reviendrai pas.» La messe est dite. L'élection aussi. Je note ce jour-là : «Il a perdu.»

Je suis malheureux de ne pas être en mesure d'exprimer cette idée à Chirac, d'être entendu. Cette injustice est d'autant plus pénible que je sais le maire de Paris incapable de nouer un compromis quelconque avec l'idéologie lepéniste. La faute doctrinale au regard du gaullisme est de le laisser penser. Elle se double d'un mauvais calcul électoral. Jacques Chirac n'a pas la volonté? le goût? l'habileté? de nous laisser représenter dans sa campagne ce que nous ressentons en profondeur sur un tel sujet. Faire la synthèse plutôt que d'épouser une thèse.

Jacques Chirac apparaît tel un bloc. A prendre ou à laisser. En cela, il se diminue. Or l'homme public est jugé sur son pouvoir d'évocation plus que sur ses réalisations. L'action de Jacques Chirac entre 1986 et 1988 a été nécessaire à la France. La France ne lui en a pas été reconnaissante. L'action du gouvernement auquel Jacques Delors participait de 1981 à 1983 n'a pas été positive pour la France. Il a paru pourtant, pendant quelques semaines en 1994, incarner l'espoir d'une majorité de Français. Les hommes politiques se confondent avec ces personnages de roman dont les faits ne nous apprennent rien et dont notre imaginaire explique tout.

En novembre 1994, quand je songe à Jacques Chirac, je ne suis plus dans la splendide salle à manger de l'Hôtel de Ville, mais dans la sordide cellule de la prison Saint-Joseph. Je tends mon saladier en pyrex pour le potage de 17 heures. « Hier, Jacques Chirac a annoncé sa candidature à l'Elysée », me dit le surveillant.

*
* *

Edouard Balladur se situe, lui, à équidistance entre Simone Veil et Charles Pasqua. Il ne donne pas le sentiment d'être fait d'un bloc, de disposer d'une solution unique. Dans les moments difficiles de son gouvernement – Air France, la loi Falloux, le CIP – il s'est refusé à demeurer dans l'impasse. De l'échec d'Air France naît le référendum à succès; de l'échec de la loi Falloux, des propositions consensuelles pour l'école et la paix scolaire; de l'échec du CIP, l'adhésion massive des jeunes au questionnaire. Les échecs ne sont pas importants. L'action les rend inévitables. Tout repose sur l'utilisation qu'on en fait. Pour maîtriser l'événement, la première règle est de l'appréhender dans son ensemble et bien souvent de le tenir à distance. Or l'éloignement d'Edouard Balladur est d'abord physique. On saisit sur-le-champ, à le regarder se mouvoir, à sa gestuelle économe et précieuse qu'il n'est prisonnier de rien. Le décalage avec les faits s'exprime aussi par un humour spontané et percutant. Manière de réfléchir à l'obstacle sans en parler. Reste l'analyse et le jugement.

*

* *

Le désaccord Balladur-Chirac a été publiquement marqué le 22 février 1994 à l'occasion d'un déjeuner de la majorité. Plus exactement, ce déjeuner a dévoilé au grand jour l'opinion intime de Jacques Chirac sur celui qu'il imagine avoir « fait » Premier ministre.

Ce jour-là, Edouard Balladur a sûrement un pressentiment pour me demander de rester, après le petit entretien que nous avons parfois vers 12 heures 30, au déjeuner des chefs de la majorité qui a lieu tous les mardis à Matignon : « Regardez bien, vous me direz ce que vous en pensez. »

Jacques Chirac s'en prend à François Léotard, le ministre de la Défense. Il est question des essais nucléaires. Ils doivent reprendre sans délai.

« Vous ne devez pas accepter systématiquement les volontés de François Mitterrand. D'autant que cette décision est de prérogative gouvernementale. » Jacques Chirac est dans un jour à tout renverser. Sans jamais prononcer son nom, il exprime tout le mal qu'il pense d'Edouard Balladur. Le sang corse de François Léotard se glace. Il serre les dents et réplique clairement. Re-duel. Le Premier ministre, l'œil fixe, les deux mains sagement posées à côté de son assiette, reste de marbre sous les coups. Il conclut : « Tant que je serai Premier ministre, la France ne se donnera pas le ridicule de montrer au monde une divergence au sommet dans le domaine clef de sa dissuasion, ce qui lui ôterait toute sa crédibilité. Si j'étais convaincu du caractère indispensable de ces essais pour le maintien de notre force et que le président s'y oppose, je remettrais ma démission. » A nouveau, tout est dit.

Le regard de Valéry Giscard d'Estaing semble comme acéré tant ses émotions se concentrent là :

ses yeux d'épervier circulent à la vitesse de l'éclair. Rien d'autre ne fait mouvement sur son visage. C'est à peine si la tension se lit dans la dureté du trait des joues et, imperceptiblement, dans l'aspect un peu pincé de la lèvre inférieure. Comme dans un ballet convenu, c'est à son tour d'entrer en scène. Symétriquement à Chirac qui a pris Léotard pour cible, VGE se charge de Pasqua. L'objet? Les conseils régionaux ingouvernables. Ils nécessitent la modification du mode de scrutin. Etonnant que le ministre de l'Intérieur n'agisse pas, alors que l'unanimité des présidents d'Assemblées régionales UDF et RPR réclament un changement. Histoire de bien prouver que les antiballaduriens sont organisés, Charles Millon ajoute son mot. Jacques Chirac acquiesce. Je pense : « Sire, ce n'est pas une révolution, c'est une coalition. » Charles Pasqua cherche une blague qui ne vient pas. Plutôt rare. Embarrassé, il noie le poisson. Le Premier ministre aussi. Il renvoie à une « étude globale » et à un « accord complet » de la majorité. Bref, il ne cédera rien. C'est un déjeuner de fauves, sans cage, avec griffes apparentes. Je glisse à Juppé :

— Vraiment agréable, ça fait plaisir à voir.

— Tu es trop esthète.

Maintenant, tout le monde est parti.

Edouard Balladur est bien assis au centre du canapé du salon. Qu'est-ce qui révèle la pression du déjeuner derrière son visage impassible et la décontraction d'après l'orage ? Peut-être le dos appuyé contre le dossier ; les bras ballants des deux côtés du corps ; la tête légèrement en arrière. Ou encore le gros cigare qu'il fume. Rien de plus.

— Heureusement, les armes sont interdites sinon votre salle à manger serait ensanglantée.

Il ne prononce pas un mot.

Il pense : « Si Jacques Chirac attaque de cette manière, c'est que je suis dangereux. Si l'opinion publique apprend qu'il m'attaque, il est le diviseur. Si Giscard s'associe à lui, voilà le retour du couple de la défaite. S'il apparaît comme l'agresseur, le diviseur et l'homme de la défaite, deux solutions s'ouvrent à lui : se taire tout à coup pour limiter les dégâts ou bien accentuer la pression. Deux solutions, une impasse. »

Pour maîtriser les faits, il faut distance, humour, analyse et jugement. Mais il se tait. Inutile de parler. Ses yeux scintillent suffisamment derrière les volutes de fumée. Je l'observe en silence. Comme si nous avions exprimé une opinion, comme si nous avions échangé sur le sujet, il dit sur un ton navré : « Vous voyez, Alain, les hommes font toujours les mêmes erreurs... »

*

* *

Depuis le jour où il a posé le pied à Marseille, contraint de quitter sa terre natale, la Turquie, Edouard Balladur n'a probablement jamais exclu d'avoir un destin. A six ans, c'est un bouleversement. Difficile d'en évaluer, chez un être aussi sensible et secret, les conséquences sur sa vie. Et que peut-on savoir de l'univers personnel de Balladur, secrétaire général de l'Elysée sous Georges Pompidou qui voit mourir le Président en protégeant son secret? Sans doute son avenir politique était-il inscrit dans cette tragédie. Etranges danses funèbres autour d'un Président mourant, policées et fines, où rien n'est exprimé, tout est suggéré. Autour de la mort se déclarent les ambitions de tous ceux qui ne veulent pas mourir avec lui. Là se révèle certainement la face la plus noire de l'homme politique. Edouard Balladur s'est gardé de cette tragédie par l'éloignement – une fois de plus –, prenant la présidence du Tunnel du Mont Blanc puis celle d'une société privée.

Edouard Balladur s'était donc retiré sur la pointe des pieds en 1974, une fois son devoir accompli. Allait-il abandonner toute ambition politique en 1988, à la sortie du gouvernement Chirac? La majorité d'alors impute les raisons de la défaite présidentielle à sa politique financière, à la suppression de l'impôt sur la fortune – que le RPR s'est battu pour inscrire au programme – à la constitution des «noyaux durs», des privatisées, à la chaise à porteurs...

En 1988, le nouveau député du XVe arrondissement de Paris est seul comme en arrivant de Turquie, l'expérience et les épreuves en plus. Il a 59 ans. Edouard Balladur a-t-il aussi jugé Jacques Chirac ? Un seul homme politique se rapproche de lui – et de Chirac : Nicolas Sarkozy. Un seul haut fonctionnaire se met à sa disposition, pleinement : Nicolas Bazire. Comment décrire l'itinéraire vertigineux qui amène l'homme à la « chaise à porteurs » à être le Premier ministre que les Français découvrent en mars 1993 ? Une conquête humaine, culturelle, politique, qui s'effectue millimètre par millimètre. Comment, sans rien concéder, sans rien céder, demeurant lui-même, a-t-il réussi la prouesse de devenir un autre, et de partager la complexité de la société ? Comment s'est-il adapté au changement au point d'être en mesure de l'incarner ? Il est paradoxal qu'on puisse lui attribuer cette formule : « Etre moderne, c'est savoir ce qui n'est plus possible. »

Quand « Carignon ne le veut pas »...

Edouard Balladur m'a nommé ministre de la Communication, moi qui «ambitionnais» la Culture. Dans un gouvernement restreint de 29 membres, il y a un ministre «plein» pour un secteur, la Communication, à propos duquel son opinion est claire : «Moins on s'en occupe, mieux on se porte.» Le Premier ministre a écrit cela avant les élections. Depuis il n'a pas changé d'avis. Une partie massive de la nouvelle majorité ne partage pas cette thèse. Du jamais vu : près de 500 députés RPR et UDF, des jeunes loups et des vieux crocodiles. Certains montent à l'assaut de la télévision avec la rengaine de toutes les majorités depuis 1958, tous gouvernements confondus – «Il faut que ça change.» En 1981, Jean-Pierre Elkabbach, Jean-Marie Cavada, Alain et Patrice Duhamel avaient été visés...

En 1993, c'est au tour d'Hervé Bourges, le truculent PDG de France-Télévision, d'Anne Sinclair, la talentueuse journaliste de *7/7*, de Christine Ockrent qui a su faire de *Soir 3* un journal original et différent, et, dans une moindre mesure, de Paul Amar, un présentateur de France 2. Tout cela est inexplicable. Passe encore pour le PDG de France-Télévision, service public, même si je ne partage pas cette opinion, mais c'est incompréhensible que Mesdames Sinclair et Ockrent soient mises en cause. A moins que partager la vie de MM. Strauss-Kahn et Kouchner rende tout à coup professionnellement incompétent ! Paul Amar est un présentateur du « 20 heures » comme les autres. Pourquoi lui ? S'additionne la montée de l'hostilité contre les journaux locaux de France 3. Le ton est donné dès le premier jour de rentrée à l'Assemblée nationale. Le gouvernement au grand complet entend le doyen, M. Charles Ehrmann, lancer dans un Palais-Bourbon comble : « Aujourd'hui, je désire prendre la parole au nom des députés lambda, pour reprendre l'expression d'un de mes collègues, souvent hommes de qualité mais que les mass media ignorent : je suis resté cinq ans sans avoir le droit de dire un mot à France 3-Nice-Côte d'Azur. »

« Applaudissements sur les bancs RPR et UDF », note le *Journal Officiel*. La colère de certains élus est fondée. J'ai moi-même, à Grenoble, souffert de manquements et d'attitudes partisanes. A chacun je rappelle cette vérité simple : «La télévision ne fait pas élire. Elle n'empêche pas d'être battu.» Quoi qu'il en soit, je prends mes fonctions dans un climat houleux. D'autant que le Premier ministre reçoit les doléances des parlementaires à chaque déjeuner. Quelques «grognards» du RPR qui ne veulent pas de bien à Balladur attisent cette braise facile et Robert-André Vivien n'est pas le dernier.

Tout de suite je dois «lister» les problèmes pour éviter d'être «baladé» et pour tenter de dessiner une perspective d'ensemble.

Ils ne sont pas minces, les problèmes : le dossier du GATT a un volet audiovisuel et culturel oublié jusque-là. La concession de Canal + arrive à échéance. La presse est au bord du gouffre et la pénétration étrangère s'accélère. La télévision publique attend la définition de ses missions. Son président, Hervé Bourges, est devenu un enjeu politique. Les télévisions privées dénoncent l'hypocrisie et la paralysie que représente l'obligation de ne pas dépasser 25 % du capital de l 'entreprise; les réseaux radiophoniques sont limités à des zones de 40 millions d'habitants et ne peuvent s'étendre; le Conseil Supérieur de l'Audiovisuel, majoritairement à gauche, nomme les PDG; Arte, présidée par Jérôme Clément, un ancien du cabinet Mauroy, voit son coût rapporté à son impact et son orientation contestée; M6 attend qu'on lui rétablisse le bénéfice de la seconde coupure publicitaire, supprimée par un amendement parlementaire ; le dossier des autoroutes de l'information va s'ouvrir et produire des bouleversements qu'il faut organiser ; les satellites vont déverser des images de toutes provenances et poser des questions d'ordre moral, réglementaire, économique... Décidément, ce ministère recèle bien des enjeux, bien des pièges. Il mérite que je m'y attelle. Il me séduit pleinement.

*
* *

J'attaque par le cœur : l'écrit. Je sais trop son importance, son rôle. L'image montre. L'écrit permet de réfléchir et d'imaginer. Notre presse est malade. D'abord, elle manque de lecteurs. Ensuite, elle manque de fonds propres, c'est-à-dire d'argent. Donc, elle est endettée. Elle supporte plus mal que d'autres la récession : la baisse de la publicité, la perte des petites annonces s'apparente à une Bérézina. *Le Quotidien de Paris*, qui a participé au combat de la nouvelle majorité, est en cessation de paiement. Je propose une aide immédiate. Je la veux disponible dans l'année ! Edouard Balladur est convaincu. Nicolas Sarkozy est conscient du problème de fond. Sincèrement attaché à la sauvegarde de la presse et de son pluralisme, le ministre du Budget n'est pas sourd, vu la situation, à la signification du geste, pour un nouveau gouvernement, d'aider la liberté de la presse. La décision est prise. Elle est annoncée. Elle est mise en œuvre avant le 31 décembre 1993 de la même année : j'adresse à chaque journal, sur des critères objectifs, une somme qui compense une partie des recette publicitaires. Pour *Le Quotidien de Paris* c'est un sursis. Il sera malheureusement insuffisant, malgré le talent et l'abnégation de Philippe Tesson.

Je m'attelle aussi à des réformes plus structurelles. Avec l'appui de Nicolas Sarkozy et du ministre du Travail, Michel Giraud, je fais accepter un plan pour la presse parisienne qui abaisse le coût de fabrication des journaux, et un autre en faveur des « messageries de la presse » pour diminuer leur coût de distribution. En peu de temps, l'Etat engage un milliard de francs pour des modifications bénéfiques à la liberté d'expression. Reste à moderniser les aides traditionnelles : Nicolas Sarkozy a entrepris avec ardeur cette tâche difficile.

*

* *

Dès le premier gros dossier, vite réglé, mes rapports avec le Premier ministre sont transparents et confiants. Je passe parfois vers 12 heures 30 à son bureau. Je vois Nicolas Bazire régulièrement, souvent le soir autour de 20 heures. Chaque fois, j'expose au Premier ministre un plan, une idée, un avis sur les hommes. Nous sommes presque toujours seuls. Je sais ce qu'il pense. Par son approbation, son silence, ses réticences, c'est toujours évident dans ma tête. Je peux assumer et prendre des coups si nécessaire. Nicolas Bazire, brillant, rapide, intelligent est un merveilleux complice. «Non, Alain, vous n'allez pas faire ça ! Non, on ne peut pas décider cela. » Bon. Il est d'accord sur l'objectif. Nous sourions. La politique est l'art de l'exécution. Il y a quelques ratés et de beaux succès. Tous deux rions de bon cœur si un journal note «les divergences persistantes entre Matignon et le ministère de la Communication». Elles sont dues soit à l'indispensable partage des tâches. Soit à l'ignorance, par tel conseiller ministériel, de l'objectif réel. Pierre Louette, qui «suit» mon ministère à Matignon, contribue à cette bonne marche. Seule cette intimité me permet d'exercer ma fonction dans un secteur aussi mouvant et sensible. Seule l'amitié vigilante de Nicolas Sarkozy empêche toute friction entre «le porte-parole», à la mission éminemment politique, et le ministre de la Communication.

D'autant qu'Edouard Balladur peut être étonnamment sibyllin dans sa manière de gouverner. C'est ainsi qu'Hervé Bourges déboule dans mon bureau au mois de juin 1993. «Le Premier ministre veut que je reste.» Et moi, du tac au tac, en souriant : «Eh bien disons que Carignon ne le veut pas.» Edouard Balladur vient de lui dire que «pour lui, personnellement, il n'y avait aucun problème à son maintien à la tête de France-Télévision». «Personnellement...» Hervé Bourges a bien compris. Pourtant, lui et moi avons pris une décision il y a deux mois. C'était fin avril, au cours de mon déjeuner en tête à tête avec lui au ministère. L'ambiance était électrique autour de nous : j'ai eu beau faire entendre ma voix contre les «ultras» de la majorité, la rumeur gronde. Certains veulent déposer un amendement parlementaire pour mettre fin à la présidence commune de France-Télévision, et dans le même temps au «président commun»! A l'intérieur de la chaîne, d'autres profitent du changement de gouvernement pour se mettre en selle. Evidemment ses collaborateurs les plus exposés, Pascal Josèphe et Alain Denvers essuient une partie des coups. Le mandat d'Hervé Bourges s'achève en décembre 1993. Le CSA pourrait à nouveau le nommer pour trois ans.

Le personnage d'Hervé Bourges ne laisse pas indifférent. Son itinéraire l'a conduit de l'école de journalisme au cabinet ministériel, à l'Algérie, à l'Afrique et à l'audiovisuel. Il est «politique» jusqu'au bout des ongles. Il connaît les rapports de forces. Il a de la rouerie et l'intérêt général ne lui échappe pas. Je trouve un président pragmatique, très attaché à sa fonction, passionné d'audiovisuel et désireux de ne pas être en opposition au gouvernement. Certains parlementaires colportent une histoire sur lui : en 1962, il aurait choisi la nationalité algérienne. Je le questionne franchement. Il s'en explique. Au cabinet d'Edmond Michelet, le garde des Sceaux du général de Gaulle, il était notamment chargé des questions matérielles des prisonniers FLN en France : leur donner la télévision, les journaux, veiller à leur confort minimum. Sa mission se déroula si bien que Ben Bella, devenu chef d'Etat, l'appela à son cabinet. Il pensa être utile à la France et devenir un trait d'union entre la France et l'Algérie nouvelle. Il fut considéré comme un « traître » par certains Français d'Algérie. Traité avec méfiance par les Algériens qui ne voulaient plus entendre parler des Français... Une histoire édifiante. Mais la rumeur demeurera longtemps attachée à son nom.

Je suis honnête avec lui : une bonne partie de la majorité et de l'opinion souhaite son départ. Or il n'a pas failli à son mandat. Mais je ne suis pas convaincu que pourront perdurer en l'état, à la fois Hervé Bourges, la présidence commune de France-Télévision et le CSA ! Je le lui dis. J'ai en mémoire la phrase du général de Gaulle : « On ne fait pas de politique en dehors des réalités. » La réalité, c'est un changement de majorité massif, expression de la volonté du pays. Hervé Bourges comprend ma détermination à le défendre, mais je suis à la merci d'un amendement qui peut casser la présidence commune autour de laquelle on mène déjà la danse du scalp. Ma conviction est forte : à côté de TF1 dont les dirigeants ont parfaitement réussi la privatisation, le regroupement de France 2 et France 3 autour d'une présidence commune, grand public, est indispensable. Certes, dans le cas où France 2 et France 3 seraient à nouveau séparées, lui-même pourrait postuler pour prendre la tête de l'une ou l'autre. Avec de fortes chances d'être désigné par le CSA. Mais avec quels moyens et quelle autorité ?

J'aime la réaction d'Hervé Bourges. A choisir, il considère, la mort dans l'âme, que le maintien de l'ensemble France 2-France 3 est essentiel. Que l'intérêt du pays commande de ne pas bouleverser l'autorité de régulation qui s'appelle le CSA. Il l'admet. Coup classique : sauver des pièces importantes en sacrifiant la plus visible. A condition de ne pas aller trop vite. Car à peine l'une absorbée, on réclame la suivante. L'incertitude sur le maintien ou non d'Hervé Bourges doit demeurer : il en va de son autorité. Lui et moi avons intérêt au bon fonctionnement de France-Télévision. Sa présence emblématique doit permettre de tenir sur le fond.

A lui d'annoncer, au mois de décembre, qu'il ne sollicite pas le renouvellement de son mandat. Je lui fais confiance dès ce jour-là. Des «éminences» en ont des sueurs froides. Le schéma d'ensemble est scellé. L'intérêt de l'audiovisuel public est sauvegardé. Les hommes ne sont ni malmenés, ni humiliés. Les échéances sont respectées. C'est peu. Mais c'est nouveau. A moi d'éviter les dérapages au Parlement. Je ne suis pas toujours aidé. Le député RPR Michel Péricard, ancien de l'ORTF, président de la commission compétente – et qui me seconde si bien au moment de la loi – est favorable à la suppression de la présidence commune. Robert-André Vivien, parlementaire actif, président du groupe audiovisuel du RPR martèle son credo : «Rien ne change à la télévision.» Au groupe RPR de l'Assemblée nationale où je dois m'expliquer, il lance dans une salle Colbert comble, histoire de calmer le jeu et de me faciliter la tâche : «J'affirme qu'Hervé Bourges sera encore président de France-Télévision dans trois ans!» Je me tais.

*
* *

C'est pourquoi, lorsque Hervé Bourges entre dans mon bureau au mois de juin en me lançant «le Premier ministre veut que je reste», je réponds sans hésiter : «Disons que Carignon ne le veut pas», je sais qu'il joue. Les cartes peuvent aussi changer. Il teste l'idée de son renouvellement auprès du CSA, de l'Elysée, de tel ou tel parlementaire. Il ne trouve que mots d'encouragement, oreilles complaisantes. Nombre de ceux-là viennent faire savoir à mes collaborateurs combien mon «immobilisme» va entraîner la télévision publique et la majorité dans une situation intenable. Et lorsqu'ils sont las de frapper chez moi, ils s'adressent au Premier ministre.

J'obtiens parallèlement d'Edouard Balladur de pouvoir proposer à Hervé Bourges l'ambassade auprès de l'UNESCO. C'est un poste de prestige. Il permet aussi, en ne l'éloignant pas de Paris, de demeurer dans le «circuit»; de préparer une «suite». Hervé Bourges doit également être promu ministre pléni-potentiaire. Alain Juppé, comme c'est naturel dans sa fonction, se laissera difficilement convaincre. Mais, après des échanges aigres-doux, le bon sens l'emportera.

Dans cette atmosphère, la commission sur la télévision publique que j'ai mise en place ne rassure pas Hervé Bourges. Présidée par un conseiller d'Etat, Jacques Campet, qui se révélera sage et pertinent, elle compte deux vice-présidents qui ne sont pas le choix du hasard : Jean-Marie Cavada et Jean-Pierre Elkabbach. Sa composition est éclectique : Françoise Giroud, Bernard-Henri Lévy, Marc Fumaroli, Louis Pauwels, Igor Barrère, Michel Péricard, Marcel Bluwal etc... Yves Roucaute en assure le secrétariat.

Elle doit rendre son rapport à l'automne : quel objectif, quelles missions pour la télévision publique ? Pendant ce temps, j'ai aussi fait diligenter une inspection des finances à France-Télévision. La commission travaille d'arrache-pied tout l'été. La synthèse de ses travaux, remarquable, servira de base au cahier des missions de la télévision publique.

*

* *

« Partira ? Partira pas ? » Le Tout-Paris des médias et de la politique s'interroge sur le sort d'Hervé Bourges. Le CSA aussi. Présidé par Jacques Boutet que François Mitterrand a nommé, il est composé de six personnalités désignées par la gauche et trois par la majorité. Selon les mêmes modalités que le Conseil constitutionnel.

Depuis 1981, chaque majorité a supprimé l'autorité de régulation de l'audiovisuel ! Pour en construire une à sa main et nommer les PDG des chaînes à sa guise ! 1981, 1986, 1988 ont vu se répéter la même scène. Balladur est d'accord pour que nous innovions : en la matière, cela consiste à ne rien changer ! Facile à dire. Difficile à faire. La conséquence politique n'est pas mince : la nomination des PDG appartient à la gauche... Pourtant la France doit devenir majeure dans ce domaine aussi. Le seul critère politique n'est pas forcément retenu dans chaque décision. Je respecte donc l'institution et son président. Jacques Boutet est également soucieux de ne pas voir le CSA disparaître avec l'achèvement de son propre mandat. Il y a une fierté naturelle à présider la première instance de ce secteur, à durer plus qu'une majorité ! Avec lui se pose la délicate question des nominations. Lorsque nous déjeunons en tête à tête, Hervé Bourges est loin d'avoir annoncé son départ. Il faut le présenter comme une hypothèse. Que se passera-t-il ? Visiblement M. Boutet, lui-même haut fonctionnaire, a une préférence naturelle pour les candidats hauts fonctionnaires. J'estime de mon rôle de donner un avis de principe sur des postulants issus de la fonction publique. Il est clair : je ne souhaite pas leur candidature. En conscience, à chacun de décider. Car j'espère que le successeur de Bourges sera un professionnel du secteur. Pour une raison de fond : la culture du milieu est indispensable pour se faire entendre, à l'intérieur comme à l'extérieur. Pour une raison politique : un président « fonctionnaire » donnerait l'idée, fausse, d'une «reprise en main» de la télévision. Je suis donc ferme avec tous mes interlocuteurs, y compris les candidats potentiels qui sollicitent mon avis. «Matignon» l'est moins et cela me va très bien. A moi d'aller au feu.

Pour Jacques Boutet et malgré sa tendance personnelle, si le gouvernement estime important de choisir parmi les professionnels de l'audiovisuel, le CSA se tournera vers eux. Les noms sont connus. De son côté le président du CSA comprend que son existence sera défendue, mais qu'elle reste à la merci d'un amendement parlementaire. Le hasard fait bien les choses : le renouvellement du président de France-Télévision, en décembre, et la discussion de la loi sont quasi concomitants. Au CSA, souverain, de procéder aux nominations. Au gouvernement d'exprimer une orientation générale – choisir de préférence un professionnel à un fonctionnaire par exemple – puisqu'il a la tâche de doter le budget de la télévision et la responsabilité politique de ses résultats. Le CSA peut prendre une orientation inverse, le gouvernement et le Parlement changer la loi. A chacun de préférer l'apaisement, l'équilibre plutôt que l'affrontement stérile.

Hormis les hauts fonctionnaires, la faveur du président Boutet va probablement à Jean-Pierre Elkabbach que, du côté de l'Elysée, « on » semble favoriser. Mais à l'inverse, Laurent Fabius qui a nommé un membre du CSA, penche pour Jean-Marie Cavada. Daisy de Galard, épouse d'Olivier Guichard, nommée, elle, par Jacques Chaban-Delmas, ne souhaite pas favoriser Jean-Marie Cavada. Mon ami Roland Faure, ancien PDG de Radio France, professionnel reconnu, semble partager mon sentiment. Quant à René Monory qui a désigné l'un de ses fidèles au CSA, il souhaite «jouer gagnant» à coup sûr en attendant le second tour du scrutin. Un favori se sera alors dégagé. Voilà les échos qui me parviennent, étouffés. Ils ne doivent pas tous être faux.

Comme souvent, il est donc question des hommes. De leur nomination. De leur promotion. De leurs idées. Il n'y a pas dix successeurs possibles à Hervé Bourges. Du fait de leurs itinéraires professionnels chaotiques, ballottés d'échec en succès, de leurs désirs, des revanches à prendre, des projets en tête, seuls Jean-Marie Cavada et Jean-Pierre Elkabbach ont la hargne du vainqueur. Car il faut vouloir cette élection. Ce sont tous deux de grands professionnels. Ils possèdent à la fois ce pouvoir de séduction, ce mélange d'autorité et de naïveté un peu feinte, ce besoin d'être aimés. L'un exprime ses colères, l'autre les réprime. L'un est un personnage d'opéra, l'autre ferait dans la musique de chambre. L'un et l'autre ont une blessure enfouie que toute une vie ne suffira pas à panser.

Je préfère Cavada. Je sais bien qu'il ne faut pas le dire. Et encore moins l'écrire. Dans la classe politique, personne ne veut choisir. Ou plutôt tout le monde, à l'exemple de Pierre Monory, choisira l'un et l'autre. En termes de mission de service public et d'image du service public, si j'avais à voter, je choisirais Cavada. Mais je sais que Jean-Pierre Elkabbach peut faire lui aussi un excellent président. Il a un immense talent. Le gouvernement Balladur ne peut être critiqué si, à la tête de France-Télévision, Elkabbach ou Cavada succèdent à Hervé Bourges. J'assure simplement au Premier ministre que l'avenir de France-Télévision sera garanti. Que le futur président sera bien accepté par les personnels comme par l'opinion publique, qu'il n'aura pas de compte à régler ni avec le Premier ministre, ni avec le président de la République.

On connaît la suite. Jean-Pierre Elkabbach se révèle un excellent président de France-Télévision. Il défend fort bien le service public.

*

* *

Hervé Bourges, Jean-Marie Cavada, Jean-Pierre Elkabbach : mes rapports avec eux sont marqués par la loyauté réciproque et le sens des engagements tenus. Pendant l'examen de la loi sur l'audiovisuel, je tiendrai bon : les amendements de séparation de France 2 et France 3 sont rejetés, ceux concernant le CSA aussi.

Dans ce domaine, un débat au Parlement est toujours risqué : François Léotard en a fait l'expérience en 1986, la gauche en 1981 et 1988. Les spécialistes des lobbies et les passions ne manquent jamais de se déchaîner ! Je fais accepter ce que j'ai souhaité : que l'opérateur d'une chaîne privée puisse détenir jusqu'à 49 % du capital et non plus seulement 25 %. Pour la première fois depuis longtemps une loi de ce type est intégralement entérinée par le Conseil constitutionnel. Je me félicite d'avoir auprès de moi un avocat éminent : Jean-Louis Dutaret a su déjouer les chausse-trappes juridiques.

Avec la complicité de deux députés, deux mesures qui nécessitent l'effet de la surprise deviennent loi : Michel Pelchat, député UDF de l'Essonne, qui m'est un appui précieux comme Rapporteur de la loi, a déposé un amendement instaurant un quota obligatoire de 20 % de chanson française sur les ondes... Quel tollé ! Pour la première fois le standard de Matignon, commun avec le ministère de la Communication, ne peut plus fonctionner, bloqué quelques jours de décembre 1993 par les appels des jeunes qui protestent. Les sacs de courrier de récrimination sont déversés au ministère : toutes les radios jeunes sont en campagne contre les quotas. Les parlementaires téléphonent parce que leurs enfants et les copains de leurs enfants les alertent. La commission des affaires culturelles rejette l'amendement Pelchat. Or je me suis engagé. Comment l'expliquer aux jeunes qui préfèrent la musique anglo-saxonne ? Je ne veux pas remettre en cause leur liberté de choix. Mais, au contraire, comme avec le cinéma français qui perdure à côté de la concurrence américaine, j'œuvre afin qu'ils conservent une faculté de choix. A terme, la chanson française peut être éliminée par une simple logique économique et financière : les musiques testées sur l'immense marché américain, dont le coût est amorti, peuvent être diffusées en France avec la certitude de plaire, à un prix défiant toute concurrence... La révolte des jeunes me submerge. Le Premier ministre se moque : « Alors, Alain, vous chantez maintenant ? A Matignon, mes collaborateurs voudraient simplement pouvoir téléphoner... » Ce sera du même style au moment du conflit avec l'émission *Love in fun* de Fun Radio, censurée par le CSA. Je vais soutenir les talentueux animateurs, Doc et Difool. J'en parle à Edouard Balladur... après : « On me dit que c'est assez salace... » Cette fois encore, il se demande comment je vais sortir de l'impasse.

Je reprends l'amendement Pelchat et le présente moi-même à l'Assemblée. Je donne un délai d'application d'un an et demi : au 31 décembre 1995, sous le contrôle du CSA, chaque radio devra diffuser 20 % de chanson française. Je rencontre et j'appelle tous les dirigeants du secteur radiophonique. Le pétillant Jacques Rigaud, à l'éternel nœud papillon, PDG de RTL, ancien directeur de cabinet du ministre de la Culture, Jacques Duhamel. Son dernier livre *Au bénéfice de l'âge* est un petit bijou. Le subtil Jean-Pierre Ozannat, directeur général d'Europe n° 1, a une bonne vue d'ensemble. Je m'entretiens avec l'entreprenant Jean-Paul Baudecroux, PDG de NRJ, avec Jean-Luc Lagardère, le grand patron de Matra-Hachette, au jugement sûr et rapide et avec l'ingénieux Benoît Sillard, PDG de Fun Radio... Tous ces groupes et radios ont des participations financières, des intérêts croisés. Le «deal» que je leur propose est simple: le gouvernement donne les moyens aux groupes privés de se développer en portant de 40 à 150 millions leur zone d'influence! En contrepartie, ils doivent prendre en charge une part de l'effort national pour soutenir la chanson française. Pas question d'obtenir l'un si l'on refuse l'autre. Hommes de talent, d'envergure, aptes à comprendre où se trouve l'intérêt public, ils m'entendent. Le téléphone de Matignon peut à nouveau fonctionner. Les sacs de courrier se font rares. La bataille pour la chanson française est engagée. Dans quelques années, une fois la tendance renversée, peut-être sera-t-il possible d'aller plus loin encore.

*
* *

La seconde initiative est prise par mon ami Philippe Langenieux-Villard, député RPR de l'Isère. Il propose d'autoriser les «décrochages» locaux aux télévisions nationales. M6 est très demandeuse car elle a lancé ses journaux régionaux, les «6 minutes». Elle veut poursuivre et accroître son réseau. Je pousse au développement de l'information locale. La mesure est adoptée sans difficulté.

*
* *

Reste le combat pour la «seconde coupure publicitaire» mené là encore par M6 et à laquelle je m'oppose. L'enjeu? Environ 100 MF de recettes annuelles supplémentaires pour la «petite chaîne qui monte». Jérôme Monod, le PDG de la Lyonnaise des Eaux, a ses entrées chez Edouard Balladur. Jean Drucker et Nicolas de Tavernost, les deux principaux responsables de M6, mettent leur savoir-faire et leur entregent, qui sont grands, au service de cet objectif. Leurs alliés au Parlement ne sont pas négligeables : Bernard Pons, le président du groupe RPR, Michel Péricard, le président de la commission, d'autres parlementaires et amis font pression. Avec un argument de taille qui affaiblit ma position : «C'est une mesure dont la chaîne bénéficiait et qu'un amendement parlementaire a supprimé...» Personne n'est capable de me dire à qui cette recette publicitaire va échapper. Le marché n'étant pas extensible à l'infini, il est à craindre que «France-Télévision» en fasse les frais. Par ailleurs, M6 n'est pas en difficulté, au contraire, elle a d'excellents résultats financiers. Je souhaite que le rétablissement de la deuxième coupure soit accompagné d'un nouvel effort de la chaîne en faveur de la production française de fictions et du cinéma. Les manœuvres de couloir, à l'Assemblée et au Sénat, sont nombreuses. Michel Péricard revient même d'une visite à Matignon en affirmant à ses amis RPR et UDF qu'il a convaincu Edouard Balladur. Je demeure stoïque. Je m'oppose à l'amendement. Il est rejeté de justesse.

En représailles, Jean Drucker et Nicolas de Tavernost gâchent l'inauguration de «M6 Grenoble» en refusant de s'y trouver à mes côtés ! Amusant. Je suis aujourd'hui accusé d'avoir noué un «pacte de corruption» avec la Lyonnaise et Jérôme Monod. Dans cette sévère bataille aux enjeux financiers importants, je n'ai jamais pensé, imaginé, un quelconque lien amical, personnel, financier, qui transcenderait ce que je crois être utile à l'intérêt général du moment.

Drôle de sort. J'écris ces quelques lignes le soir de Noël, le 24 décembre 1994. Je suis seul à l'étage : les prisonniers punis, «au mitard» bénéficient, eux, d'un régime normal. La grâce de Noël descend heureusement sur ces hommes, tous musulmans. Je le sais : dans ce quartier, quand il y a du porc, mon repas est «à part». Je suis l'exception. Le seul à en manger. Cette grâce de Noël m'a été refusée par le juge hier. Je me remémore les appels téléphoniques des ministres, des hommes publics, les visites dans mon bureau pour soutenir la position – d'ailleurs très défendable – sur M6. Chacun accomplissait son devoir d'influence en vertu de sa conviction. Peut-être me suis-je trompé ? J'ai pris la décision. Sans jamais supposer que j'étais redevable de quoi que ce soit à qui que ce soit. Aussi loin que je me souvienne dans ma vie publique, je ne vois pas trace qu'un tel état d'esprit m'ait seulement effleuré. Comment en convaincre, en particulier dans la mélancolie et la solitude de ce soir de Noël, le juge Courroye ?

Rousselet s'est « tromper »...

Je suis le nouveau ministre de la Communication. Je lance les aides à la presse. Je prépare la réflexion sur la TV publique et l'exception culturelle. Je n'appelle pas André Rousselet. Dans mon esprit, ce n'est pas urgent. Canal + se porte bien. Ce n'est pas un enjeu. Le renouvellement de la concession nous laisse quelques mois pour le préparer calmement.

André Rousselet, lui, me téléphone. Un mois après ma prise de fonction. Je ne le connais pas. Je comprends aussitôt que son ton est celui d'un donneur d'ordres. Distance et autorité. «Dans quel mépris vous "nous" tenez pour ne pas "nous" voir!» Il y a ambiguïté sur le «nous». Est-il de majesté ou parle-t-il de Canal?

Je ne le connais pas mais je sais de qui il s'agit. Rousselet, le fidèle compagnon de François Mitterrand. Son premier directeur de cabinet à l'Elysée. Puis le président d'Havas et, dans la foulée, le président-fondateur de Canal +, société privée. Situation unique. L'Etat, qu'il connaît bien, lui a accordé une concession dont la rédaction n'a pas dû lui échapper... Accordée à lui, André Rousselet, aux actionnaires qu'il se choisit, à lui le pourfendeur de la «Générale» et de la «Lyonnaise» grands utilisateurs de concessions.

— Bon. Je suis navré, Monsieur le président, veuillez m'excuser. J'avais des urgences, des problèmes en suspens, à régler à mon arrivée. Canal + marche si bien, votre succès est si évident, nous avons plusieurs mois pour évoquer la concession, le gouvernement voit tout cela avec bienveillance; dans mon esprit il n'y a rien de pressé...

— C'est tout de même inadmissible qu'un ministre de la Communication ne prenne pas contact avec nous, ne nous demande pas notre avis. Il y a une marque de défiance évidente que je ne peux tolérer...

Le ton est péremptoire. Il ne supporte pas la contradiction.

— Veuillez encore m'excuser. Je n'aurais jamais pensé que mon silence soit ainsi interprété. D'autant que je suis enthousiasmé par la réussite de Canal! Je veux réparer cela. Je vous propose de fixer la date et l'heure : je me rendrai à votre bureau, à Canal. Je veux marquer ma considération. J'ai horreur que des malentendus gâchent les relations, alors que sur le fond il n'y a aucune raison.

— Ecoutez Monsieur le Ministre. Je ne peux admettre d'être ainsi considéré par un membre du gouvernement. Cela ne m'est jamais arrivé. Je ne vous ai rien fait et je sais que vous menacez l'existence de Canal. Il y a un désir de revanche. Je ne me laisserai pas faire, vous m'entendez; je ne me laisserai pas faire...

— Ecoutez bien, pour une fois, Monsieur le président. Ce sera bref. Je n'ai jamais exprimé cette idée. Elle n'est pas et ne sera jamais dans mes intentions. Maintenant, je me dois de vous préciser que vous ne pouvez plus vous comporter comme si vous étiez à la fois l'Etat et une société privée. Vous êtes une grande société privée dont la France a besoin. Ce n'est déjà pas mal. Je vous recevrai donc, à mon ministère, à une date dont nos secrétaires conviendront...

Le début est frais. Proche du dialogue de sourds. André Rousselet considère les ministres comme ses subordonnés. Et il ne respecte pas tous ses subordonnés. Au plan personnel il appartient à la catégorie des modestes qui veulent être félicités deux fois : pour leur réussite et pour leur modestie. Ça donne «je suis un sous-préfet qui n'a pas pu devenir préfet». Le port altier, il veille à son physique avec la coquetterie du séducteur qu'il est resté. Il promène son intelligence, grande sans doute mais pas généreuse, dans la vie parisienne avec une distance amusée. Il a quelque chose de britannique. Au fond, à l'heure des bilans, c'est un homme de la race de Mitterrand : fidèle à lui-même, plutôt courageux, plutôt déterminé; il aime la vie, ses plaisirs, le pouvoir. Bref, un homme.

Notre premier entretien a donc lieu au ministère. L'objectif du gouvernement est limpide : assurer la pérennité de Canal et, à cette occasion, le solliciter pour accompagner le développement du câble.

Je passe sur les moulinets de bras, la liste des incapables qui ont géré le câble, celle des ministres successifs, le geste de la main autour du cou pour mimer l'étranglement, les «Ne comptez pas sur moi» définitifs !

Dès la première seconde, André Rousselet a «empoché» le renouvellement de sa concession. Et il discute le principe même de sa participation au câble ! Mais d'entrée de jeu, je ne me suis pas placé en position de «donnant-donnant» pour bien marquer que nous n'avons pas d'arrière-pensée. J'ai pris la précaution d'évoquer ce dossier avec le Premier ministre.

Pourtant, André Rousselet est dans une position juridique inextricable : la concession qu'il s'est bâtie a évidemment un terme ! Logiquement, elle devrait être replacée sur le marché. Les bénéfices de Canal sont colossaux (1,3 milliard de francs en 1993), et ce doit être un jeu d'enfants pour les candidats de proposer à l'Etat une participation financière en rapport avec ces résultats.

Rousselet, le pourfendeur de concessions lorsqu'elles concernent la «Lyonnaise» ou la «Générale», ne souhaite évidemment pas ouvrir la sienne à la concurrence. C'est humain. Il n'est pas question pour moi d'entrer dans ce jeu. Dès le départ, je le précise au PDG de Canal. Voilà un acquis considérable. S'il était consenti par Alain Carignon à d'autres que lui, M. Rousselet critiquerait le ministre pour ses largesses coupables envers ces sociétés privées.

Pour sortir de l'imbroglio, nous testons l'idée émise par Marc-André Feffer, l'habile secrétaire général de Canal : mettre toutes les chaînes privées au «régime américain», c'est-à-dire renouvellement tous les cinq ans de la concession par le CSA, avec une «présomption de renouvellement». Ainsi, toutes les chaînes qui remplissent leurs obligations sont en mesure d'investir sur le long terme. Si le gouvernement entend leur imposer des obligations nouvelles, il le fait savoir au CSA à chaque échéance. Jean-Louis Dutaret, excellent spécialiste de la législation d'Outre-Atlantique, est séduit. Le Premier ministre m'approuve. L'idée émise le 19 juillet 1993, à l'occasion d'un déjeuner à Canal +, se retrouve dans la loi promulguée le 1er février 1994 ! Canal + voit son avenir garanti.

Envers Canal, j'ai une seule volonté : même si la

chaîne n'est pas seule responsable de l'échec du câble en France, Canal + doit seconder son décollage. Le téléspectateur français est dans une situation unique parmi les téléspectateurs des autres pays occidentaux : l'alternative entre le câble et une chaîne privée qui diffuse le cinéma et le sport. Partout ailleurs, c'est le contraire. Parce que le cinéma et le sport constituent le meilleur «produit d'appel» télévisé ! De ce fait, la France est la plus vulnérable aux images de l'étranger, déversées par satellites. Avec le câble on peut réglementer, protéger, favoriser. Avec les satellites, c'est hors de question. André Rousselet ne veut rien entendre. Il n'est pas homme à «s'envoler vers l'Orient compliqué avec des idées simples» (Charles de Gaulle). D'ailleurs il veut changer d'interlocuteur et le fait savoir au Premier ministre. Il désigne Jacques Friedmann, le futur PDG de l'UAP qui lui paraît plus flatteur que moi. Le Premier ministre est embarrassé. Ma position est claire : «Monsieur le Premier ministre, sur le fond, il n'y a pas de problème. Pourquoi s'opposer sur la forme. Donnez satisfaction à Rousselet.» D'autant que son dossier implique plusieurs ministères : Budget, PTT, Culture... et qu'avec Jacques Friedmann, ayant la même position, nous demeurerons en contact permanent.

Je ne résiste pas au plaisir de lui faire remarquer : «Je ne comprends pas, cher président Rousselet, vous si habile négociateur, d'avoir choisi un interlocuteur unique en la personne de Jacques Friedmann, plutôt que plusieurs ministres opposables entre eux... »

Mais M. Rousselet n'en reste pas là. Il a plus d'un tour dans son sac et joue la corde «liberté d'expression». Il lance l'opération «Guignols».

Chacun connaît l'impact de l'émission, sa drôlerie, son génie parfois, son succès jamais démenti. Cette tranche non cryptée rapporte 400 MF de publicité à la chaîne. André Rousselet craint pour ce pactole. Je le rassure. Jacques Friedmann aussi : pas question de remettre en cause le privilège de la chaîne. Rien n'y fait. La rumeur est lancée sur une radio : «Les Guignols sont menacés.» L'annonce du rétablissement d'une censure déguisée a pour objet d'assurer le tiroir-caisse. Et ça marche. Je réponds à des protestations multiples.

Au milieu de ce champ de mines, je tiens mes engagements : la loi assure la pérennité de Canal + en décembre 1993. André Rousselet, lui, n'a encore rien lâché sur le câble. Et cette loi est dénoncée comme permettant au groupe Bouygues qui détient 25 % du capital de TF1 d'en acquérir 49 %...

C'est l'inverse à Canal. Les possesseurs des 49 % ont été désignés par André Rousselet : Havas, la Générale des Eaux et la Société Générale, actionnaires de départ.

Normalement, il n'y a aucun changement à attendre de ce côté-là. Pourtant c'est là qu'un grave incident va se produire, avec pour principaux acteurs Guy Dejouany, inamovible à la tête de la puissante Générale des Eaux. Subtil, secret, il brasse les grands ensembles. Et Pierre Dauzier, Corrézien solide et doué, à la tête d'Havas depuis que Jacques Chirac l'a nommé à ce poste dans la période 1986-1988. Dauzier dépeint Rousselet comme « hâbleur, impossible, affairiste, qui considère tous les autres comme des sous-hommes ».

Au cours d'un déjeuner chez Robuchon, Guy Dejouany affirme avoir parlé à André Rousselet des enjeux de la communication et de la nécessité de conforter les trois détenteurs (Générale, Havas, Société Générale) des 49 % du capital de Canal afin de résister aux assauts de l'étranger. Parlait-il à la bonne oreille ? André Rousselet a-t-il reçu cela comme une hypothèse, laquelle, ne recevant pas son assentiment, ne pouvait être suivie d'effet ? Je ne le sais pas. Le Premier ministre non plus. Toujours est-il que ces trois actionnaires décident de signer entre eux un «pacte d'actionnaires». Jacques Friedmann qui siège au Conseil d'Havas n'a pas décelé là un acte aux conséquences politiques, ni a fortiori, un acte politique. Jérôme Monod et Jean-Marc Vernes, proches du Premier ministre et du RPR, reçoivent ce pacte comme une agression et se répandent, eux, dans les médias.

André Rousselet découvre-t-il la réalité, à savoir qu'il n'a jamais été propriétaire de Canal +? Que MM. Dejouany et Dauzier ne sont pas à ses ordres? Ou bien ressent-il comme une brûlure la fin d'une décennie de puissance splendide et parfois arrogante, pendant laquelle il détenait à la fois le pouvoir, l'argent et l'audiovisuel? Jamais, «avant» ces dirigeants n'auraient «osé» s'entendre sans son accord.

J'apprends le 16 février au matin que *Le Monde* publie à sa «une» dans son édition de l'après-midi un article intitulé «Edouard m'a tuer». Signé André Rousselet. Il reprend au passage la faute d'orthographe commise en lettres de sang, par une femme assassinée qui aurait ainsi désigné son meurtrier: «Omar m'a tuer.»

André Rousselet méprise ses véritables adversaires. Attaque un homme qu'il pense être à sa dimension. Bat en brèche l'Etat impartial qu'Edouard Balladur a imposé. Je rédige sur-le-champ une réplique sévère que je crois juste: «L'orgueil m'a tuer.» A l'heure où *Le Monde* arrive sur le bureau du Premier ministre, je lui fais lire la réponse. Il sourit.

— Ce n'est pas mal. Mais voyez-vous, nous ne sommes pour rien dans cette histoire. Personne ne s'en est occupé. Si nous intervenons maintenant, nous allons justifier la stratégie de M. Rousselet.

Je plaide: «Je n'aime pas beaucoup qu'une attaque aussi injuste, aussi odieuse demeure sans réplique. »

Nous en restons là. Je livre des éléments de réponse à l'occasion d'une interview au *Figaro*. Le lundi 21 février, je suis à Grenoble pour recevoir des administrés à la mairie. Le soir j'ai une réunion dans l'appartement de Madame Cognard, boulevard Gambetta pour préparer ma réélection de conseiller général en mars. Le Premier ministre m'appelle : « Cet André Rousselet a bien exagéré. Tout le week-end a été consacré à cette affaire. C'est un comble après les décisions prises pour Canal +. Alors vous pouvez répondre. Soyez pugnace et habile. Mais n'hésitez pas. » Enfin. *Paris-Match* publie une interview d'André Rousselet et accepte de me donner la parole. Je peux m'exprimer. Cela me vaudra une plainte en diffamation. Je suis en bonne compagnie, celle du journaliste de RTL, Philippe Alexandre, car j'ai tenu les mêmes propos que lui.

Cette mauvaise foi abyssale ne modifiera pas mon antienne : Canal + est assuré par la loi de poursuivre son chemin. C'est au CSA, désormais responsable, de discuter des efforts de cette chaîne en faveur du câble. Rien n'a changé depuis notre première rencontre. Nous aurions pu gagner du temps.

Même si les faits n'expriment pas toujours la vérité, le temps permettra d'apprécier pleinement le rôle du gouvernement Balladur : le schéma mis en place pour toutes les télévisions et radios privées, cette «présomption de renouvellement» et le contrôle par le CSA, tout cela est incontestablement moderne. Il dote la France d'un système durable et transparent.

Certes, il est des jours dont on est honteux. Ceux de l'accident de Tchernobyl par exemple. Parce que tous les fils nous ont échappé. D'autres dont on est satisfait. Mais comme pour se juger soi-même, peut-être vaut-il mieux ne pas se poser la question de ce qui a été bon ou mauvais, au risque de faire preuve de trop de sévérité ou de trop de complaisance.

Cependant, pensant à ce texte de loi, je prends le risque d'estimer qu'il édifie une architecture satisfaisante, utile à notre pays et conforme à l'intérêt général.

épreuves budgétaires qui «assoient» Arte grâce à l'appui décisif de parlementaires, tels Thérèse Aillaud, député des Bouches-du-Rhône, dont l'accent chantant fait merveille, Anne-Marie Couderc, député de Paris et Jean de Boishue, député de l'Essonne qui, comme moi, en appelle à André Malraux pour défendre l'idée de la diffusion de la culture à tous.

La cause culturelle

En ce mois d'avril 1993, Edouard Balladur est assis sur une chaise près de la table du «coin salon», entre les deux fenêtres de son bureau qui donnent sur le parc de Matignon. Il tourne le dos au jardin. Ses deux mains sont posées sur ses genoux. Il m'écoute calmement avec ce mélange d'attention et de distance, ce cocktail qui lui donne tant de charme auprès des membres de son gouvernement. Son bureau est vide de papiers. Le téléphone ne sonne pas.

La bataille du GATT a commencé. Je suis ministre de la Communication depuis un mois. Il n'est question que d'agriculture et de Blair House, ce qui passionne les parlementaires. Avec enthousiasme et dans le désordre, j'expose le problème de «l'exception culturelle». Les USA se battent à fond et Clinton en fait une affaire personnelle compte tenu du poids politique de la Californie où se concentrent les industries du secteur et leurs lobbies. Pour les Etats-Unis l'audiovisuel et le cinéma représentent le 2e poste exportateur ! Avec l'apparition des autoroutes de l'information, la possibilité de produire et de diffuser sera exponentielle. Si nous acceptons la clause de la « spécificité culturelle » dans les accords du GATT, la France et l'Europe perdent le droit de réglementer, de protéger leurs créateurs, d'organiser leur diffusion d'images. La marche vers l'uniformité des civilisations sera accélérée, et sous dominante américaine. Les emplois et les industries à naître nous échapperont. Notre création sera en difficulté à l'intérieur même de nos frontières. Or nous sommes mal partis ; si nous réclamons la clause de « l'exception culturelle », le risque d'échouer est évident. La France est isolée, avec le dossier de l'agriculture sur les bras. Mais je fais valoir au Premier ministre que s'il doit refuser l'accord du GATT au nom de la France, autant que plusieurs dossiers motivent ce rejet. Toutefois je ne veux pas jouer avec le feu : l'échange entre l'agriculture et la culture, au dernier round après avoir fait monter les enchères. Je dois être certain de l'attitude du Premier ministre, « jusqu'au bout ». Il me questionne. L'importance du débat n'échappera pas à Balladur. L'intérêt si évident qu'il n'en démordra pas : ne pas être isolé sur un seul dossier et assurer le rapprochement entre le monde de la culture et les gaullistes autour de cet engagement commun. Mais à la vérité, je ne sais pas encore comment m'y prendre.

Sa conclusion est nette : « Vous pouvez compter sur moi. Vous pouvez compter sur moi jusqu'au bout. Je refuserai tout marchandage sur ce sujet. » Voici donc mon premier affrontement international en tant que ministre de la Communication ! Cette affaire débute dans le brouillard et dans le coton. Elle n'intéresse personne. Je n'ai pas d'amis, pas d'ennemis non plus. J'ai le soutien d'Edouard Balladur, voilà tout. Je ne peux toujours rien en faire.

Au Festival de Cannes 1993, je déjeune à la Villa Toscane, à l'invitation de Daniel Toscan du Plantier et du producteur Alain Terzian. C'est une propriété nichée sur les hauteurs, en pleine végétation. Je suis heureux de rencontrer ceux qui représentent une si grande part de notre passion du cinéma : Jean-Louis Livi *(Merci la vie, Un cœur en hiver)*, René Cleitman *(Cyrano, La vie et rien d'autre, Tenue de soirée...)*, Eric Heumann *(Indochine...)*, Margareth Menegoz *(Louis Enfant-Roi)*, Jean-François Le Petit *(Trois hommes et un couffin...)*, Jean-Eric Strauss *(J'embrasse pas...)*... Autour de la piscine ils me rappellent des mots, des images, des émotions, en même temps que, rassemblés, ils symbolisent une industrie prospère dont la France a besoin. Daniel Toscan et Alain Terzian se mobilisent immédiatement. Ce sont l'un et l'autre des personnages exceptionnels. «Toscan» avec le sens de la formule qui tue, la perspicacité, l'esprit de prospective. Grand, élancé, élégant, je l'imagine une épée à la main en Don Quichotte. Sauf qu'il ne ferraille pas contre les moulins à vent... Terzian, auréolé de la réussite des *Visiteurs*, est avant tout efficace. Son regard ténébreux, son sourire éclatant cachent une redoutable et légitime ambition. Mais même avec ces deux hommes, le message a du mal à être perçu.

Décidément les 14 juillet me poursuivent ! celui de 1993 est terrible. Je ne sais pas encore qu'un an plus tard, j'assisterai au défilé avec ma démission dans la tête. Pour l'instant, je regarde ma montre. Dès la fin du cortège sur les Champs-Elysées, je quitte la tribune officielle, je saute dans un avion privé de la compagnie Sinair. Personne ne m'a dit qui finançait ce déplacement obligé. Je retrouverai plus tard la facture sur le bureau du juge Courroye. Sir Brittan m'a accordé un rendez-vous au Parlement européen. Le commissaire britannique plaide ce jour-là devant l'Assemblée de Strasbourg en faveur de la «spécificité culturelle». Or, à ce jour, même s'il y a consensus au niveau des Etats pour accepter la version américaine, Brittan n'est mandaté par personne pour acquiescer à cet abandon. Un vote du Parlement européen lui apporterait la caution d'une assemblée élue. J'enrage dans le Beechcraft. Arrivé à 13 heures 15, je cours dans la salle à manger sensibiliser mes amis du groupe RPR. Je passe de table en table. A 14 heures 30, au bout d'un couloir interminable, comme, semble-t-il, seule l'Europe des bureaux paraît capable de les inventer, je rencontre le massif Sir Leon dans une pièce banale. Avec son visage de félin aux aguets, ce diplomate prêt à tout entendre me reçoit fraîchement. Avec le maximum de délicatesse dont je suis à même de faire preuve, je lui demande de ne pas s'engager et lui rappelle qu'il n'a pas mandat pour le faire... Sir Brittan globalise, replace le problème dans une telle vision d'ensemble qu'il paraît secondaire; pour lui «spécificité» et «exception» donnent les mêmes droits.

— Si cela n'a pas d'importance, alors obtenons-la... seconde...

Dialogue de sourds. Les jeux sont faits. Dans l'après-midi du 14 juillet 1993, le Parlement européen adopte la «spécificité culturelle». A une large majorité, le professeur Léon Schwartzenberg en tête, pourtant président du groupe «Cinéma».

Le Beechcraft de la Sinair poursuit sa route vers Grenoble. Seconde cérémonie de la journée. Depuis mon élection, j'ai instauré une nouvelle tradition : le défilé s'effectue dans la soirée, sur le vaste Cours Jean Jaurès. J'ai juste le temps de me changer pour admirer les «Alpins», impeccables. Ensuite le préfet et moi accueillons 2 000 invités un à un à la préfecture. Je suis furieux. Je pense à notre échec potentiel. Depuis avril, nous n'avons pas gagné un pouce de terrain. Gérard Longuet, ministre de l'Industrie et Alain Juppé, ministre des Affaires étrangères tiennent l'ensemble de la négociation avec, sur les bras, des dossiers lourds et sensibles. Il faut accentuer notre lobbying.

François Mitterrand, à la demande des professionnels, traitera «l'exception culturelle» à l'occasion d'un discours à Gdansk en Pologne.

Mais nous n'en sommes pas moins toujours seuls. Le GATT doit se conclure en décembre prochain. Il faut donc changer de vitesse. Avec Alain Terzian et Daniel Toscan du Plantier, nous visitons un par un intellectuels, journalistes, acteurs, producteurs pour exposer la véritable dimension de l'enjeu. Rien n'apparaît en surface, mais nous commençons à être compris.

J'obtiens d'Edouard Balladur de disposer, au cœur même de la mécanique de négociation, d'un diplomate qui se consacre exclusivement à la question culturelle. Un porte-parole permanent qui surveille, prépare le terrain, ébranle nos partenaires. Mon choix? Bernard Miyet, ambassadeur à Genève, ancien directeur de cabinet de Georges Fillioud qui fut aussi consul à Los Angeles, la patrie du cinéma. Il a le double avantage d'appartenir au «corps» et d'avoir une incontestable compétence audiovisuelle. J'ajoute qu'il est de Romans, dans la Drôme. Mais il est classé «à gauche». J'ai recours à Edouard Balladur pour vaincre les réticences à sa nomination. Miyet est efficace, compétent, enthousiaste. Il visite les capitales européennes, expose ce problème ignoré, infléchit des positions, cherche des alliés hors d'Europe. Le Canada n'a-t-il pas obtenu «l'exception culturelle» des USA dans le cadre de son Alliance avec l'Amérique et le Mexique? Je fais aussi le voyage pour plaider la cause.

Parallèlement et en coordination, producteurs, comédiens et metteurs en scène français prennent contact avec leurs collègues européens pour organiser la pression sur chaque ministre. Ça commence à bouger. L'influence et les amitiés font des miracles. Plantée dans un désert, notre semence est sur le point de produire. La presse manifeste elle aussi un début d'intérêt.

Face à la modeste offensive française, typiquement française dans sa méthode improvisée, les Américains sûrs d'eux, dominateurs, deviennent maladroits. La CIA met en branle ses moyens financiers, on le saura plus tard et Mickey Kantor, leader des lobbyistes, multiplie pressions et déclarations. En clair : «Le président des Etats-Unis s'est engagé, le président des Etats-Unis a besoin de la Californie pour sa réélection et la Californie ce sont les "Majors", les grandes sociétés. Rien ne leur résiste.» Nous sommes des lilliputiens. Le langage et la méthode de Kantor nous sont d'un précieux secours. Ils réveillent les ardeurs européennes : on veut bien se coucher, mais à condition que personne ne le sache. Sir Brittan lui-même doit s'expliquer devant le Collège des Commissaires Européens. Il en ressort qu'il n'est pas mandaté avec précision. Jacques Delors, qui avait d'autres chats à fouetter jusque-là, est sensibilisé à cet aspect de la négociation. A la rentrée, par un gros coup, nous voulons faire apparaître au grand jour ce que nous avons patiemment construit. C'est l'expédition de Strasbourg.

Les photographes et les caméras regardent ébahis les personnages qui descendent d'un autocar et empruntent la passerelle d'un avion : Gérard Depardieu et Christian Clavier, Isabelle Huppert et Line Renaud, Claude Berri et Bertrand Tavernier, Roger Hanin et Valérie Lemercier. Là encore je ne pense pas au coût de l'avion. Mais j'ai dû résoudre moi-même le problème, la veille. 350 000 F pour cet avion de 80 places, c'est une somme. Mais l'objectif m'apparaît essentiel : convaincre le Parlement européen de remettre en cause son vote du 14 juillet, populariser l'idée de l'exception culturelle en Europe, en faire un dossier de même dimension que nos combats pour l'agriculture et l'industrie.

La cible est pleinement atteinte. La salle du Parlement européen est bondée de députés. Ils entendent des artistes : émouvante, Brigitte Fossey pleure. Gérard Depardieu convainc. Christian Clavier plaide avec talent, Claude Berri à son tour prend la parole...

Tout le monde dit son mot. Même le professeur Schwartzenberg s'invite à la tribune et me reproche ma faiblesse, lui qui a voté le texte de Sir Brittan! Bref c'est gagné. Le Parlement européen réclame «l'exception culturelle dans la négociation du GATT». Il annule son vote du 14 juillet. Aucun texte ne couvre plus Sir Brittan.

Grâce à leurs artistes préférés, les Français (mais aussi nombre d'Européens) découvrent la dimension du problème. J'ai associé le ministre belge Di Rupo, dont le pays préside l'Europe. Il prend à Strasbourg une position publique et ferme en faveur de «l'exception culturelle».

Nous décidons alors d'organiser un séminaire chez lui, à Mons en Belgique, avec tous les ministres européens concernés. Bernard Miyet prépare un projet d'accord. Après deux jours de travaux à Mons, les 4 et 5 octobre, les douze pays de la Communauté adoptent à l'unanimité un document qui lie les négociateurs. Sans valeur juridique, il s'impose pourtant à eux. Le commissaire portugais Pinero partage nos convictions et nous seconde efficacement. L'habileté dans tout cela consiste à prendre le problème à l'envers. Chaque pays européen énumère les conditions minimales dans les secteurs audiovisuel et culturel en deçà desquelles il ne peut transiger avec les USA. Ajoutées ainsi les unes aux autres, nous les savons inacceptables pour le lobby américain. Bernard Miyet est formel : jamais les « Majors » américains n'autoriseront Bill Clinton à admettre cette base de négociation. Adopté par les douze, le texte comporte un dernier paragraphe que je propose : si ces clauses ne sont pas toutes acceptées par les USA, nous en resterons à « l'exception culturelle ». Ce dernier point fait l'unanimité.

Le ministre Di Rupo, le commissaire Pinero et moi quittons Mons satisfaits. Sir Brittan dispose de données précises sur les positions du Parlement et des Etats. Ce n'est certes pas ce qu'il souhaitait, mais tant pis. Edouard Balladur reçoit officiellement à Matignon le monde de la culture, de la production comme il le fait pour l'industrie, l'agriculture ou le commerce. La réconciliation des représentants de la culture et des gaullistes peut s'amorcer : nous avons regardé ensemble dans la même direction.

L'Europe se met d'accord en décembre 1993 sur sa position concernant le GATT. Le dimanche précédent, Bill Clinton appelle Edouard Balladur. Il demande une seule chose : de la souplesse et de la compréhension sur le dossier « exception culturelle ». Le Premier ministre me le dira avant d'aller s'expliquer à l'Assemblée nationale. Comme une évidence, il m'avait précisé en avril dernier : « Vous pouvez compter sur moi jusqu'au bout. »

C'est vrai : je n'ai pas songé au coût de l'avion spécial affrété pour Strasbourg. La veille du voyage l'administration ne pouvait accepter de financer un vol de 350 000 F, sans même la garantie qu'il y aurait du monde. Je n'étais pas capable de prouver que ce voyage était indispensable. Malgré la bienveillance de Nicolas Sarkozy, le budget de déplacement du ministre de la Communication est de 200 000 F par an. J'appelle le PDG d'une grande société française qui a aussi des activités dans l'audiovisuel. Il accepte la prise en charge du vol. J'y réfléchis aujourd'hui. Ce geste ne peut-il être interprété comme un effort en faveur de la défense d'une législation utile au développement de cette entreprise? Ou consenti comme le financement occulte d'un ministre? Ou même comme une corruption active puisque cette société est intéressée, comme les autres, par la loi sur l'audiovisuel que je prépare et qu'elle travaille aussi pour la ville de Grenoble? Et si le déplacement à Strasbourg avait été un échec au niveau des participants et de la bataille de l'exception culturelle perdue – c'en était l'issue la plus probable – cette dépense apparaîtrait encore plus coupable. Ces frais d'un jour sont du même ordre que ceux que la compagnie de M. Merlin prodiguera en onze ans pour m'aider dans mes déplacements! Et qui me valent la prison. Or, à ma connaissance, cette facture n'a atterri sur la table d'aucun juge.

*
* *

J'attendrai le mois de mars 1995, après 6 mois de prison, pour comprendre, grâce à l'une de mes charmantes avocates, Me Marine Berthier. Elle s'est penchée en détail sur le tableau précis des vols qui me sont reprochés par le juge Courroye : celui-ci m'a notifié 3,9 MF pris en charge par la compagnie Sinair en onze ans. Il m'a mis en prison le 12 octobre 1994 sur la base de ce chiffre.

En mars 1995, Me Berthier a établi le compte exact. Elle a fait le travail qu'un juge d'instruction devrait faire s'il voulait instruire à charge et à décharge, c'est-à-dire ne pas désigner le coupable dès l'ouverture de son enquête. Selon Me Berthier, il y a moins de 800 000 F de vols privés en onze ans, soit une moyenne de 70 000 F par an. Dans cette même période, j'ai géré 250 milliards de francs au titre du Conseil général de l'Isère, de la ville de Grenoble et des ministères que j'ai dirigés. Sur ces 800 000 F deux déplacements sont en effet contestables ; je n'ai pas contrôlé leur financement. Deux déplacements de trop. Une faute qui ne justifie pas la prison. D'autant que le juge a vérifié sur la même période mes comptes personnels, mes factures personnelles, mes déplacements, mes acquisitions ainsi que celles de Jacqueline. Il a constaté que nous avions réglé toutes nos factures, nos modestes acquisitions et nos travaux par chèques, avec nos deniers personnels et qu'aucun enrichissement personnel ne pouvait nous être reproché.

Bon vent à la petite dernière

Ultime fait d'armes à mon actif : la loi que je propose et qui crée, en un seul article, une nouvelle chaîne de télévision. Fin août 1993, je suis chez Edouard Balladur. Il prépare son programme pour l'année et va réunir le gouvernement en séminaire. C'est l'heure de vérité pour la chaîne de la Connaissance. Depuis six mois, j'ai semé des jalons. Le ministre du Budget trouve l'idée belle et grande. Le Premier ministre a présente à l'esprit cette préoccupation : diffuser la culture. Etonnant, compte tenu de son milieu. Mais il n'est pas satisfait de la situation française. Le pays est en retard. L'arrivée du multimédia peut provoquer le meilleur ou le pire. Le meilleur, si les instruments de la connaissance sont mis à la portée de chacun et d'abord de ceux qui vivent à distance du savoir. Le pire, s'il accentue encore la cassure sociale, l'inégalité des chances et structure définitivement cette société duale, à l'américaine, dont la dernière décennie vient d'accoucher. Il faut inventer une chaîne de télévision qui réponde à ce besoin de connaissance pour tous gratuitement. Mettre à la disposition des écoles, de la Francophonie, des banlieues, des programmes financés par l'Etat. L'idée a fait son chemin. Dans la discrétion. Jack Lang, qui a réussi bien d'autres choses en dix ans, a échoué dans ce projet. J'ai donc analysé les résistances nombreuses, puissantes qui s'opposent à cette télévision. En secret, et rapidement. En cette fin août, le Premier ministre doit trancher. Si c'est «oui», je m'engage à la faire démarrer fin 1994. Si aucune décision n'est prise, cela signifie renvoyer le projet au lendemain de la présidentielle. Mais il y aura alors d'autres priorités et la France ne comblera pas son retard. C'est «oui»! La décision n'est connue que du Premier ministre, de Nicolas Sarkozy, de Nicolas Bazire et de moi-même. Nous rédigeons le message qui l'annonce. Encore une dernière hésitation: «le Premier ministre lance l'étude d'une chaîne éducative»; «le Premier ministre décide...» J'argumente en faveur de la seconde formule. Edouard Balladur tranche. Ce sera «décide».

A la surprise générale, le 25 août, la création de la future chaîne est annoncée. J'obtiens la conduite du groupe interministériel pour éviter l'enlisement. Il n'y a pas de temps à perdre. J'associe deux professionnels, Simone Harari et Jean Rouilly qui déterminent l'essentiel des choix à effectuer. Leur apport nous fait gagner un temps précieux. Grâce à l'article unique de la loi, je suis libre : les statuts, le fonctionnement, les hommes. Je peux vaincre les réticences des bureaux. Fin décembre, après l'épisode de France-Télévision, je sollicite Jean-Marie Cavada : « Réflé-chis pendant les fêtes et voyons-nous en janvier. » Son émission *La Marche du siècle*, son talent pédagogique, sa capacité de dialogue avec les milieux éducatifs et scientifiques en font le président idéal. Il sait rebondir. Ce sera « oui ». Annoncée le 25 août 1993 par le Premier ministre, la « Cinquième » démarre le 13 décembre 1994. Rares sont les décisions d'Etat qui se concrétisent aussi vite.

Exceptionnellement, j'allume mon récepteur de télévision pour regarder Edouard Balladur, Nicolas Sarkozy, Jean-Marie Cavada et une bonne partie du gouvernement lancer la nouvelle chaîne au Louvre. Tous les aspects de la connaissance et du savoir mis à la portée du plus grand nombre sont abordés. Jacqueline a été invitée. Dans ma cellule de la prison Saint-Joseph, l'alcool est évidemment interdit. J'ouvre une bouteille de Saint-Yorre et je fais pétiller l'eau dans le verre. Je souhaite « bon vent » à la petite dernière...

Belle satisfaction parce que discrète, mélancolique parce que vécue dans l'ombre. On ne juge pas une vie sur un acte. D'ailleurs on ne juge pas une vie. Mais ils sont rassemblés là, le succès et l'échec, en un même homme, sur une même période. Dans ma mémoire, avec le temps de la prison qui s'allonge, les jours et les nuits de solitude qui toujours se ressemblent, les éblouissements et les souffrances finissent par se confondre.

Ils sont indissociables. En regardant le lancement de cette chaîne sur mon écran, je doute de la réalité du moment. Je doute de ceux que j'ai vécus. Ce qui régit la vie des hommes, et la rend acceptable, ce cycle qui fait successivement gagner et perdre, se trouve ramassé en un seul instant. Et pour moi, semble-t-il, sans possibilité de rémission. Comment ne pas être disloqué ? Faut-il accepter cette fatalité aussi loin qu'elle veut m'emmener ?

Fin décembre 1993, ministre de la Communication, je suis à l'origine d'une nouvelle chaîne de télévision qui rendra de grands services aux moins favorisés. La loi audiovisuelle est adoptée, France-Télévision consolidée, le CSA maintenu, les aides à la presse distribuées, Arte sauvée. La chanson française dispose d'un nouvel espace d'expression, les radios et télévisions privées d'une nouvelle liberté.

Grenoble et l'Isère viennent de voter leurs prochains budgets.

Je ne ressens pas la même joie qu'en ce petit matin dans les rues de Grenoble au moment de ma première élection de maire, ou face aux horizons ouverts au-dessus de la Grave. Non. Je parle, ici, de la satisfaction simple et ample du devoir accompli. Noël à Saint-Romans, en famille, peut s'annoncer. 1994 peut arriver. J'ai confiance.

Rusé, celui qui ne t'apparaît pas...

Retour à ce 11 juillet 1994. Par un simple coup de fil, tout a basculé : le juge va m'appeler. Avant de présider le Conseil municipal, je téléphone à Sarkozy.

— Tu sais, je dois quitter le gouvernement. J'ai appris aujourd'hui que je vais être mis en cause par la justice. Je suis furieux d'arrêter ce que j'ai commencé, de ne plus pouvoir travailler avec toi, avec Balladur ! mais je n'ai pas d'autre solution. Je vais devancer l'événement pour ne pas gêner le gouvernement. De toute façon, dès ma mise en examen, je ne serai plus utile. Je connais la meute. Par contre, je peux servir en démissionnant vite. Ce n'est tout de même pas ceux qui pensent que Balladur va réussir qui vont le gêner !

Nicolas réagit avec raison : «Ça me fend le cœur ce que tu me dis. Tu sais comme j'ai été heureux que tu participes au gouvernement. Tu connais mon amitié. Ce serait ridicule d'en parler maintenant. Mais franchement, si tu me demandais un conseil d'ami, je te dirai honnêtement que c'est la bonne décision. Entends-moi bien. Tu imagines ce que je ressens. Mais c'est la bonne décision pour le gouvernement. C'est la bonne décision pour toi. De la manière dont tu me présentes les choses, je m'honore encore plus d'être ton ami ; je tiens à te le dire. »

Un soir de janvier 1994, Cécilia et Nicolas Sarkozy ont réuni quelques amis avec Didier Barbelivien à la guitare. Remontait en moi le souvenir des feux de camp en pleine nature où, pour se réchauffer, on chantait à la veillée. Etrangement ce soir-là, il y avait la même fraternité chaude, exaltée par les belles chansons populaires dont le ministre du Budget connaît toutes les paroles. Nous étions comme des adolescents pour lesquels la vie s'ouvre, nous ne voulions pas que la nuit finisse.

J'aime chez Sarkozy cette gamme de connaissances et de centres d'intérêt si large et diversifiée, qui l'amène de la réflexion au football, en passant par la chanson ou la philatélie. Avec une prise directe sur toutes choses, une rapidité de décision, une argumentation précise et claire. De la loyauté aussi. Au moment de l'épisode des « Rénovateurs », il me dit « mais que vas-tu faire dans cette aventure idiote, qui n'a pas de tête, pas de stratégie, qui ne peut se terminer que lamentablement ! » Sur l'instant, j'ai pensé qu'il avait peut-être raison. Mais je ne suis pas homme à me priver d'un plaisir, en l'occurrence secouer le cocotier de l'ordre établi. Et puis l'imprévu, le hasard, l'enchaînement de la vie, peuvent rendre possible ce qui ne l'est pas. C'était drôle d'être à la fois complices et opposés lors des rencontres orageuses entre les douze Rénovateurs dont j'étais et les représentants des partis parmi lesquels il figurait.

En juin 1990, j'ai transgressé la consigne de Jacques Chirac. Lorsqu'un journaliste m'a interrogé sur une élection cantonale modeste où restaient face à face un socialiste et un Front national, j'ai indiqué ma préférence en faveur du socialiste. Ce n'était pas un choix, mais un réflexe. Un rejet. Irrationnel. Quelques jours auparavant le groupe « Front national » de Rhône-Alpes avait refusé de voter la subvention au Mémorial des Enfants d'Yzieu, ces enfants juifs déportés par les Allemands. Ce refus de la mémoire est de même nature que l'atrocité elle-même.

Jacques Chirac m'a mis « en congé du RPR ». Il ne pouvait pas faire moins. Chacun avait été solennellement informé de la manœuvre du PS utilisant le Front national. Il m'a demandé de revenir sur ma déclaration. Je ne le pouvais pas. Sans être pour autant en mesure de lui expliquer mon attitude dictée par l'instinct. Je ne savais pas lui dire que ces enfants martyrs l'avaient rendue évidente. J'avais répondu « oui » à une question sans réfléchir. Après réflexion, je disais deux fois « oui ».

Ce lundi 11 juillet 1994 commence pour moi une semaine lourde. La présence attentive de Sarkozy ne me fait pas défaut. Avant que ma démission ne devienne publique, je lui fais porter, ainsi qu'à Cécilia, ce petit mot : « Vous contribuez à faire de ce moment difficile un moment heureux. Je ne peux l'oublier. »

Au téléphone, ce lundi, je lui dis que j'informe Balladur. Qu'il en parle, lui, à Nicolas Bazire.

Le Premier ministre réagit avec pondération : « Rien ne presse. Ne vous précipitez pas. Il faut voir les choses de près. Nous en reparlerons tranquillement. »

Avant de présider le Conseil municipal, comme toujours, je vois mes collaborateurs. Puis Jacques-Emmanuel Saulnier, mon chef de cabinet. Fidèle et dévoué, il a encore, à 26 ans, l'enthousiasme et la gravité des jeunes gens, toujours le mot pour sourire. Avec toute la jeune équipe au Conseil général de l'Isère et à la mairie il fera face avec un panache et une détermination qui ne faibliront jamais dans les graves événements qui m'attendent. Ce n'est pas pour m'étonner.

Je serai à Paris demain.

Rusé, celui qui ne t'apparaît pas...

*
* *

Mercredi 13 juillet, je sors du Conseil des ministres discrètement. Je sais que pour moi, c'est le dernier. Nous avons chahuté en sourdine, Philippe Douste-Blazy, le ministre de la Santé, et moi. Propos acerbes sur un camarade dont le discours se prolonge. «Entre nous, je ne sais pas quand nous nous reverrons.» Il saisit. Je me glisse dans la voiture du Premier ministre. Pendant le trajet, nous échangeons quelques plaisanteries :

— Pour la présidentielle, tout le monde veut un grand dessein. Soyez le premier à proposer la climatisation de la salle du Conseil des ministres, c'est une fournaise. Ce sera très populaire...

— J'y songerai...

— Je dois partir. Je vous l'ai dit. Je vais être mis en cause. Je souhaite démissionner au plus tôt car je ne serai plus utile. Ni dans mon action. Ni pour vous. C'est tout bête, mais si je ne suis pas utile je suis incapable d'occuper une fonction ! Je ne sais pas faire. Et puis votre réussite est nécessaire au pays. Mon départ peut y contribuer. Ma présence la gêner. Mais laissez-moi vous dire que c'était une période de bonheur que de travailler à vos côtés dans la confiance.

Edouard Balladur me questionne sur «l'affaire». Il ne l'estime pas grave. Il me témoigne sa confiance.

— Je vous comprends, bien sûr. Je vous suis reconnaissant de votre attitude. Mais je veux être certain que tout cela est nécessaire.

— Ça l'est. Ma mise en cause est inéluctable.

— Bon. Je comprends. C'est d'accord. Que proposez-vous ?

— De démissionner dimanche soir. Demain, c'est le 14 juillet, le défilé à Paris et à Grenoble. Vendredi, j'ai une émission à RMC. Je ne souhaite ni l'annuler, ni la faire tourner autour de ma démission. Ainsi j'ai le week-end pour me mettre à jour. Et surtout dimanche soir, il y a le Mundial. Entre ma démission et le football je crains que les Français prêtent plus d'attention au foot !

— Toujours aussi malin.

— Ah non ! Vous me l'avez suffisamment dit ; ceux qui sont vraiment rusés sont ceux qui n'en ont pas l'air, n'est-ce pas ?

— Bon, si vous voulez bien, déjeunons ensemble vendredi 15.

Plaisant déjeuner d'au revoir que celui-ci ! Je suis en retard. Très en retard. Le secrétariat de Balladur à appelé RMC où je réponds aux questions de Sylvie Pierre-Brossolette et de Philippe Lapousterle, à l'occasion du forum «RMC-*L'Express*». Deux journalistes reconnus et appréciés. Leur vigilance me fait craindre qu'ils soupçonnent quelque chose. Peut-être est-ce dans ma tête ?

Bref, je suis en retard chez le Premier ministre, réputé ponctuel.

— Veuillez m'excuser, mais j'expliquais votre politique à RMC.

Lui, souriant, répond : « Justement. Elle est tellement bonne qu'il faut peu de temps... »

Balladur me donne son accord formel pour dimanche.

Il est affectueux et me fait part d'un témoignage qui me touche : le président de la République lui a dit son estime pour moi et ses regrets de mon départ.

« J'ai demandé au président de ne pas vous remplacer. J'ai proposé un intérim de votre ministère effectué par Nicolas Sarkozy. Pour que chacun comprenne que vous reviendrez. Je souhaite que ce soit le plus vite possible. »

Par-delà ma personne, ce message a une signification dans la classe politique. Les hommes d'Etat gaullistes respectent les institutions, la Justice. Mais ils demeurent fidèles à leurs amis. Il sera reçu par ceux auxquels il s'adresse. « Est vraiment rusé celui qui ne l'apparaît pas. »

*

* *

Il faut partir. Il ne suffit pas de le dire. Ranger ses dossiers. Regarder le soleil à travers les vastes portes-fenêtres largement ouvertes sur le parc de l'Hôtel de Clermont. J'y passe mon week-end seul. Quelques collaborateurs et amis viennent samedi. Notamment l'efficace et élégant Xavier Péneau, désormais sous-préfet de Montmorency mais qui dirige alors avec une loyauté sans faille les services du Conseil général de l'Isère. Je préfère Jacqueline à Saint-Romans et nous nous téléphonons. Il reste Yannick Ferrant, le cuisinier. En seize mois d'activité, voilà le premier week-end pendant lequel je le retiens. Le dernier aussi; grâce à lui je peux déjeuner et dîner dehors dans le jardin ensoleillé. « Je l'aimais bien ce palais », a dit Edgar Faure, qui ne détestait pas les honneurs, au moment d'abandonner la présidence de l'Assemblée nationale.

J'étais un ministre à « résultats ». Décidé en tout cas. Préparer la loi et les changements d'options, batailler sur le GATT, lancer la chaîne éducative, négocier Canal +... Le ministère était devenu une fourmilière, une boîte à idées. Matignon étant à deux pas, je pouvais y aller, en douce, à pied. J'aurais aimé participer à la campagne présidentielle. Tout doit s'arrêter. Il faut partir.

Dimanche, je reçois deux journalistes mis dans la confidence. D'abord Florence Delattre pour le *Dauphiné Libéré*. Elle a un charme irrésistible. Je l'embrasse et je ressens, chez elle, un peu de tristesse d'avoir, aujourd'hui, à me poser de si dures questions. Elle le fait avec sérieux et un peu de tendresse qui fait du bien.

Ensuite, Gilles Bresson de *Libération*. Il suit de près et avec talent les méandres de la vie politique française. Il m'interviewe rudement sur « les affaires » et ne m'épargne rien. Le photographe m'apparaît plus tolérant, il ne cherche pas l'image négative. Ma sensibilité à fleur de peau enregistre toutes ces nuances.

Une fois ma démission lâchée sur les télex de l'AFP, à 18 heures, je réponds à Nathalie Saint-Cricq de France 2. Elle confie à Véronique Bouffard, ma compétente collaboratrice, présente sur tous les fronts, qu'elle ne m'a pas trouvé excellent, ni « punchy », ni très clair ! Elle a raison. Je n'étais pas bon.

Je pars pour le Journal de 20 heures de TF1. C'est Jean-Claude Narcy qui me reçoit, un ami, un grand journaliste :

— Bien entendu, je te pose les questions les plus difficiles.

— Je suis là pour ça.

Il « ouvre » sur ma démission, mais passe d'abord les images d'un petit avion qui s'est écrasé sur une plage de Corse. Une minute de répit. C'est mon tour. Le direct me va bien aujourd'hui. Ce que j'ai à dire sur « l'affaire », ma démission, mon émotion aussi, passent correctement. Voilà. C'est fini. Le téléphone sonne dans le salon de maquillage. Il sonne dans la voiture. Il sonne au ministère pour le dernier plateau-repas. Bernard Bosson est le premier des ministres à me joindre dans ma voiture. Il me ressert la formule de Nietzsche que je lui murmurais au plus fort du conflit Air France : « Tout ce qui ne nous tue pas, nous renforce. »

A ce moment, je me souviens du *Monde* qui nous était parvenu au moment très précis des questions d'actualité à l'Assemblée nationale : un article réclamait sa démission à cause du conflit d'Air France. Nicolas Sarkozy, Philippe Douste-Blazy et moi, assis sur le banc derrière lui, étions affectés de lire cela. Il allait essuyer le feu en ayant cette vilaine idée dans la tête. Son visage, aux traits fatigués par la grève qui pouvait entraîner la France vers la paralysie générale, était marqué. Comme pour encourager un sportif, nous tapions discrètement sur ses épaules et j'ai lancé « Vas-y Bernard. Tu es le meilleur ». Les attaques des parlementaires de l'opposition se succédaient. Il était au cœur de la tourmente. Il tenait le coup sous l'offense et les avanies. Au fur et à mesure de ses réponses, il devenait encore meilleur, plus incisif, plus mordant. J'étais parti heureux de l'Assemblée nationale ce jour-là. J'y pense maintenant. A peine a-t-il vu le journal de TF1 qu'il décroche son téléphone.

Rusé, celui qui ne t'apparaît pas...

Le ministre de l'Equipement, des Transports etc... etc... (j'ajoute «etc...» avec ironie et un soupçon de jalousie car il est titulaire d'un énorme ministère qui compte aussi le Tourisme) a bien réagi.

Ce dimanche soir je roule dans Paris en scooter.

Je n'ai qu'une petite serviette serrée entre mes pieds, avec quelques feuillets. C'est tout ce qui me reste de seize mois de ce ministère. Ça et des souvenirs plein la tête. Mais pas de remords.

Une enquête maladive

Il est près de minuit ce mercredi 12 octobre 1994. Le juge Courroye vient de m'annoncer, par un bref entretien, sa décision de m'incarcérer. C'est-à-dire, disons le mot tout de suite, de me mettre en prison. Mes avocats m'ont quitté. Eux aussi sont épuisés par cette journée. Le bâtonnier Danet a plaidé avec talent et conviction, jusqu'au bout. Il doit parler aux journalistes qui attendent dehors la décision du juge. Je n'ai plus rien à faire. Au palais de justice de Lyon, je suis seul dans une petite cellule. La lucarne donne sur une rue piétonne de ce vieux Lyon, si attachant. J'éteins la lumière de la pièce. Regardant dehors, j'enregistre une scène de théâtre sans paroles : des habitants de l'immeuble d'en face ont ouvert leurs portes aux photographes. Je les vois courir, s'agiter, fébriles, envahir les cuisines et des salles de séjour. Malgré le froid, ils ouvrent les fenêtres et, telles des vigies attentives, appareils en bandoulière, scrutent le palais de justice, chacune de ses ouvertures, dans l'espoir de me surprendre. Etrange contraste avec la vie paisible qui s'écoule dans les appartements voisins, où une fin de soirée comme les autres s'achève. Des lumières tamisées. Un homme lit dans une pièce, près d'une lampe. Une femme regarde la TV dans la pénombre. Ceux-là ont refusé d'ouvrir leurs portes. Ils ne soupçonnent pas l'agitation qui règne au même étage ! Moi, je bascule dans la nuit. Je m'assois sur le banc, dans l'angle de la pièce. Je tourne le dos à la rue. Je m'accroupis dans la position du fœtus, la tête dans les genoux. Je ressens une pénible absence. Mon corps m'a quitté. Plus précisément, la vie m'a quitté. Il ne reste qu'une carcasse, repliée, là, sur ce banc, vide de sens, vide d'existence. C'est cela : je n'ai plus de conscience.

Ce matin, tout a commencé par un échange téléphonique avec Jacqueline, elle à Grenoble, moi à Paris. De ceux que nous avons chaque fois que nous sommes séparés. Nous avons besoin d'entendre nos voix. « La police est à côté de moi, elle te cherche. » Ça y est. Mon cerveau a tout enregistré, en une seconde. Un accéléré jusqu'à la prison. Mais je pense au mot « prison » sans lui donner de contenu. Il n'a pas de chair. Je ne sais pas faire l'effort de me mettre « en situation ». C'est hors de ma portée. Je ne conçois pas la signification des mots « enfermé » et « seul ».

*
* *

Ma dernière vraie retraite, seul et enfermé, date de décembre 1991. J'étais en Chartreuse. Je me souviens du pénible lever à 23 heures pour débuter à minuit avec les «matines». Je me plaçais dans la partie supérieure de l'église et je me glissais dans le noir. Les moines arrivaient un par un, s'avançaient lentement dans la nef, les pieds nus dans des sandalettes, avec un air d'éternité. L'hiver, au cœur de la forêt : je grelottais de froid. Je les dévisageais d'en haut, sans qu'ils soupçonnent ma présence, pour tenter de déchiffrer le secret de leur supériorité : une solitude sans tendresse, ni sentiment amoureux, sans passion humaine, rien qui emprisonne l'esprit libre ainsi de servir Dieu. Revenu dans ma cellule, transi, après avoir bourré le poêle à bois, je lisais avidement leurs textes, leur histoire, je poursuivais leurs rites, pour tenter de percer un mystère que je n'ai jamais éclairci. La répétition des gestes, les lectures, des coutumes, ne fait que singer la foi. Elle n'a pas le don de la faire partager. Alors la longue journée s'écoulait, seulement interrompue par les pas du frère qui glissait le repas dans l'orifice de chaque cellule. Seul le claquement sec du clapet, lorsqu'il était relevé et abaissé pour laisser passer le plat, résonnait dans le couloir du monastère. Une présence humaine, invisible. Seulement, du fond de cette retraite choisie, je savais pouvoir sortir : je disposais de la clef de la porte. « Je ne vous verrai pas pendant votre séjour, m'avait dit le Supérieur. Si vous ne tenez pas, vous pouvez partir quand vous voulez. Posez la clef dans la boîte du monastère. »

*
* *

Je n'en suis pas là. Je suis à Paris. Les policiers sont à Grenoble, avec Jacqueline. Elle me parle au téléphone. Je me maîtrise. Je regarde le ciel de Paris. Il est bleu. Je suggère à mes avocats, l'excellent bâtonnier Guy Danet et mon ami Jacques Boedels, de joindre le juge : je peux, s'il désire me voir, sauter dans la minute dans un TGV ou une voiture et me rendre à Lyon. Refus du juge Courroye. Alors, machinalement, je range mes affaires. Je ne veux pas que Jacqueline trouve le petit appartement parisien abandonné brusquement dans le désordre et la précipitation. Je ne veux pas qu'elle retrouve ainsi un climat de désolation alors que je serai certainement « en prison ». Dans cette pièce, nous avons passé des moments heureux. Il s'écoule plus d'une heure. On tambourine à ma porte comme dans les films. Trois hommes déboulent, courtois et vigilants. Je veux aller à la salle de bains ? L'un d'eux en fait la visite au préalable et me demande de ne pas verrouiller la porte. Il se poste derrière. Perquisition. Transfert à Nanterre. Paris. La Défense. La voiture est banalisée, mais à côté de ces trois hommes je suis un autre. Je le sais. A la manière dont ils me considèrent. Ils sont très corrects. Parce qu'ils l'ont décidé. Parce qu'ils le veulent bien. Une attitude, un mot et ils changent. Je suis dépendant. Pas tout à fait prisonnier mais totalement dépendant. Ce n'est pas la même chose. Mon univers se rétrécit subitement. Mes rendez-vous, mon activité d'aujourd'hui, tout cela n'a plus d'importance. N'existe plus. Impossible d'appeler. Mais à quoi bon? Couloirs. Sous-sols. Un bureau pour attendre avec deux inspecteurs. La visite d'un commissaire. Pour constater que tout va bien. «On» a dû leur demander des nouvelles du «mandat d'amener» – une arrestation – du ministre. Pour le ministère de l'Intérieur, cela s'appelle « suivre l'affaire ».

J'imagine le circuit que va parcourir l'information : le commissaire, puis le directeur de l'Administration, puis le directeur de cabinet. Et Charles Pasqua, au retour du Conseil des ministres :

— Et Carignon?

— Il est à Nanterre dans de bonnes conditions. Dans un bureau. Il va être transporté à Lyon cet après-midi, sans menottes.

— Bon, vous suivez ça.

Que peut faire de plus un ministre d'Etat ? Rien. Je lis dans les yeux du commissaire qui va rendre compte : « Non, il n'est pas attaché à un radiateur avec des menottes. »

Je me retrouve ensuite sur l'autoroute, vers Lyon, avec une autre équipe. Les plaisanteries sur « l'affaire » m'écorchent vif. Je plie mon imperméable sous ma tête. Pour somnoler et chercher la paix.

A la pause, j'entrevois les talons du policier sous la porte du wc. Comme dans les films. Sur l'aire de l'autoroute un vieux couple s'attarde sur moi quand je remonte dans la voiture, bien entouré. Je baisse les yeux. J'émets le désir d'entrer dans le palais de justice par la porte « normale ». Je suis prêt à descendre de voiture. Refus du juge. Il désire que mon arrestation se voie. Comme un criminel. Comme au cinéma. Comme à la télévision quand, en Italie et parfois en France, les hommes publics, pitoyables, encadrés, pris d'assaut, parviennent à lâcher une phrase, un pauvre sourire forcé, aussitôt noyés par le flot de commentaires et d'images hostiles. Ne pas devenir celui-là. Fuir de soi-même. L'étau se resserre. Les événements m'échappent. Ils commencent à m'oppresser.

*
* *

Mis en examen par le juge Courroye en juillet dernier, je me suis rendu à pied au palais de justice. J'ai veillé à repartir à pied. L'idée de m'engouffrer dans une voiture me mettait mal à l'aise. Je n'ai rien à fuir. Rien à cacher. Le chauffeur, le fidèle Marcel Chion, s'était donc garé au-delà de la passerelle piétons qui enjambe la Saône. Nous marchions avec mes avocats. Photographes et caméras s'obstinaient à nous suivre. Puis il n'est resté que le cameraman de France 2, marchant à reculons, le gros œil impudique fixé sur mon visage. Je craignais qu'il n'atteigne avec nous la voiture, qu'il fixe cette idée de départ, de fuite. Avec cette pensée en tête, je conversais avec mes avocats. Soudain, j'ai entendu le «tut... tut... tut...» caractéristique d'une caméra dont la bande est arrivée au bout.

— Merde, c'est fini...

— Dommage, au revoir.

Il fait demi-tour et nous continuons, tranquilles, notre marche.

*
* *

Aujourd'hui, je ne suis plus maître de mes pas. La voiture arrive à Lyon. Je suis dépendant. Pas encore prisonnier. Je n'ai pas de menottes. Pas encore. Je n'ai plus le droit d'arriver tout seul. Le juge m'interdit l'entrée habituelle du palais de justice. C'est lui qui décide. Je suis à sa merci.

Arrivant par la cour arrière, ma voiture suit un fourgon lequel doit nous dégager l'entrée. Il en est empêché. La foule est dense. Le fourgon cale. Voilà la justice-spectacle. L'arène. On me pique. On me traque. On veut me voir blessé. Les flashes et les caméras, comme fous, jaillissent sur les épaules des CRS mobilisés sur une double rangée, sous leurs bras et même, au sol, entre leurs jambes! Moi, j'assiste à ce spectacle désarticulé, j'aperçois des bras et des appareils photo qui dépassent des CRS. Sans me voir, ils mitraillent en direction de la voiture. Le crépitement ininterrompu de lumières blanches mord la nuit avec âpreté. J'ai la vision de ces draps blancs, au cœur de la forêt guyanaise, tendus et éclairés à l'aide d'un moteur de fortune, sur fond de cris de singes hurleurs. La nuit, les papillons se précipitent dans la lumière, contre le drap. Le chasseur, avec une épingle, a le temps de choisir son espèce préférée... Là aussi, ce soir, le coupable est épinglé, désigné à la vindicte populaire, jugé, en proie au déshonneur. Je suis pris dans la tourmente. La minute est interminable. Les grandes portes du palais de justice se referment enfin derrière nous. Brusquement, c'est le calme au milieu d'une nuée de policiers.

*
* *

En arrivant je découvre le dossier que mes avocats me communiquent. Depuis quinze jours, de manière soudaine et avec acharnement, le juge a perquisitionné, interrogé, mis en garde à vue, enquêté sur la base de lettres anonymes entassées sur son bureau. De styles apparemment différents, elles ont pour auteur ce malheureux corbeau que je connais. Son comportement obsessionnel ressortit de la névrose.

Quinze jours auparavant – justement – mes avocats ont discrètement déposé une demande de non-lieu très bien argumentée dans «l'affaire» du *Dauphiné-News*. Le juge a-t-il été contrarié? Ne peut-il délivrer un non-lieu à un ministre qu'il a contraint de démissionner? En fouillant la société de Me Dutaret, celle de M. Merlin, la Lyonnaise des Eaux, le RPR, la compagnie Sinair, les appartements de tous mes collaborateurs, le mien, mes déclarations d'impôts, onze ans de ma vie, interrogeant de manière partiale des dizaines de personnes, M. Courroye pense avoir accumulé contre moi une moisson suffisante pour passer à la seconde phase. En parcourant ces éléments je saisis immédiatement ce qui ne fonctionne pas : il y a du maladif dans cette façon de mener l'enquête policière à sens unique. Chaque élément, chaque fait, est relié à une seule interprétation.

Depuis six mois, entre le juge et moi, il s'agit d'une vulgaire et énième version du chat et de la souris. Depuis juillet, je le trouve courtois, policé. Il me fait, en tête à tête, des confidences amicales. Depuis ma démission du gouvernement, je suis naturellement à sa disposition. Mais sa méthode me semble étrange. Il cite une lettre anonyme accusatrice. Maire, j'ai l'habitude de ces pratiques. La preuve d'une culpabilité quelconque n'est évidemment pas fondée. Mais je dois démontrer mon innocence ! Et on finit toujours par trouver quelqu'un pour dire, sans en avoir été le témoin direct, que « ça s'est exactement passé comme ça ! » Mais dans ma naïveté, j'ai confiance en la justice de mon pays.

Aujourd'hui les masques tombent. Dès le début du jeu, toutes les sorties de la petite souris ont été obstruées. La politesse du juge est, elle aussi, de façade. Je le découvrirai par hasard, plus tard, en entendant les surveillants dire entre eux : « Courroye nous demande d'aller chercher Carignon. Ni bonjour, ni s'il vous plaît, ni merci, ni au revoir... Il nous prend pour des chiens... »

Je parcours ces dizaines de feuillets en quelques minutes avant que M. Courroye m'interroge. Il doit m'entendre, c'est la loi. Le débat « contradictoire » est obligatoire pour décider l'incarcération.

Mais là, stupeur ! Le Procureur se prononce avant de m'avoir écouté ! Comment peut-il trancher sans connaître les arguments opposés au juge ? je suis surpris. Quarante-cinq jours plus tard, je lis le commentaire sévère du Syndicat de la magistrature : M. Nadal, ancien conseiller technique du garde des Sceaux de 1983 à 1986 «nommé par la gauche a trouvé un intérêt personnel (cf. à cette incarcération). Il est clair que le développement d'affaires politico-financières à Lyon permettait de conforter la situation de ce haut magistrat rendu intouchable par la médiatisation de dossiers impliquant l'actuelle majorité». Je n'imagine rien de tel à cet instant. L'idée de cette petite coalition d'intérêts tramée à mes dépens ne m'effleure pas. Je trouve simplement étrange, léger, que M. Courroye et le Procureur aient en fait décidé tous les deux, avant de m'avoir posé une seule question, de délivrer un «mandat de dépôt» c'est-à-dire, résolu de me mettre en prison. C'est pour le moins un choix qui ne résulte pas d'une longue et minutieuse enquête. Quinze jours ont suffi. Tous les deux contribuent d'une manière décisive au climat délétère dans lequel notre pays se complaît : une justice «à l'italienne» sans que notre comportement national le justifie ; un puritanisme anglo-saxon de façade, sans que notre tempérament s'y prête. Un cocktail détonnant avec surenchère à la célébrité entre juges et utilisation d'informations erronées par les médias.

Quinze jours d'instruction tous azimuts et la prison ! Ce n'est pas le juge qu'il faut changer. Les hommes sont les hommes. Mais l'instruction doit être profondément réformée. Pourquoi ? Le juge remplace le procès en désignant le coupable. Il se substitue aux citoyens d'une ville et d'un département en m'interdisant d'exercer les mandats qu'ils m'ont confiés. Il faudra un mois avant que je puisse rencontrer une heure le premier adjoint de la ville dont je suis le maire ! Un mois coupé de l'exercice d'un mandat pourtant démocratiquement attribué. Ensuite, il y a le maintien en détention la plus longue possible qui en fait un moyen de pression. Avec un objectif : faire signer, par fatigue ou désir de liberté, n'importe quelle déclaration reconnaissant une culpabilité même partielle. Tout concourt à cet objectif. La détention bien sûr, mais aussi ces réveils à 6 heures du matin. Il faut partir dix minutes après, le juge a réquisitionné. Embarqué par le GIPN, entouré de policiers, placé à 6 heures 30 au palais de justice. On attend jusqu'à 9 heures 30 pour être auditionné. L'interrogatoire dure entre cinq et six heures. Les longues séances à l'Assemblée nationale, au Conseil municipal ou au Conseil général m'ont accoutumé à ces marathons. Mais à ce régime toute personne normalement constituée a envie d'en finir à n'importe quel prix.

Autre objectif du juge, tout aussi pernicieux :

grâce à une détention qui se prolonge, donner à penser qu'il n'y a pas de «fumée sans feu» : «l'affaire» prend alors de l'ampleur. Le juge est gagnant à tous les coups. Là encore mon instinct me dicte ma conduite : entre ma liberté et mon honneur, je choisis mon honneur.

La simple menace de la mise en détention constitue pour la plupart une pression insoutenable. La méthode est très simple. On place quelqu'un en garde à vue 48 heures. C'est-à-dire en prison. Quand on ne connaît pas les affres de l'isolement soudain, il est difficile d'exprimer une opinion. Stefan Zweig décrit très bien dans *Le Joueur d'échecs* la méthode de torture sans violence : l'enfermement dans une salle vide, en se prolongeant, contraint au besoin de parler ou à la folie... S'il s'agit de plus d'un chef d'entreprise dont l'épouse est administrateur ou a des responsabilités dans l'entreprise, elle aussi est placée en prison. Les enfants sont seuls. La famille affolée; les voisins inquiets et soupçonneux. Le résultat inéluctable. Facile, avec de telles méthodes, de convaincre «tout le monde» que je me suis bien livré à une vaste opération de corruption...

En prison, plus de repères. C'est simple de reconstruire une histoire. Dans sa position, à l'époque des faits, le témoin sait obligatoirement quelque chose. S'il ne l'avoue pas, c'est la complicité et la prison. Mettre quelqu'un en prison ne pose pas de problème; CQFD. Il faut avoir le cœur bien accroché pour se tenir à la stricte vérité des faits. Ou seulement, parfois, pour se la rappeler. Il suffit d'accepter de signer une déposition sur un élément présenté comme secondaire. Ou bien sur un fait ou un mot dont on ne se souvient plus vraiment si on l'a vécu, si on vous l'a rapporté ou si on l'a lu dans la presse. Comme la version médiatique est invariablement la même que celle des lettres «anonymes» et de l'instruction, en quelques semaines l'histoire qui a entre six et neuf ans d'âge, trouve une cohérence et une logique à laquelle chacun se rallie.

Parfois un demi-mensonge suffit. Il ne paraît pas prêter à conséquence, mais il permet d'obtenir la paix. Tel fonctionnaire craint de voir sa carrière éclaboussée par une détention, tel chef d'entreprise ne peut pas se permettre de quitter ses affaires pendant plusieurs semaines. Ils sont vite vaincus par ce chantage subtil.

Le juge instruit uniquement à charge. Au premier tour de manivelle, il inscrit la fin du film : le nom du coupable. Puis il meuble le scénario. L'en-fance de l'art. Après lui, parquet, chambre d'accusa-tion, médias... tout le monde regarde les images.

Alors que réformer? Les conditions de la garde à vue, de la détention provisoire. L'instruction, quand elle n'a pas de rapport avec le crime, la drogue, le terrorisme, la violence physique, la prostitution. Hors ces cas-là, pourquoi maintenir le droit de mettre en détention provisoire ? Renforçons les peines automatiques pour ceux qui quittent le territoire. L'expérience montre qu'ils sont toujours rattrapés si on le veut. Quid de la destruction des preuves ? Les affaires ont plusieurs années d'âge. De la pression sur les témoins ? Elle sera toujours moins forte que la prison : avec elle, Jean Miot, le président de la Fédération de la Presse, a écrit à juste titre qu'on « réinvente la torture ».

Ce sont les méthodes de l'instruction qu'il faut réformer. Ce doit être l'une des tâches du prochain président de la République. Je l'exprime d'autant plus aisément que je ne serai pas concerné.

L'instruction doit redevenir contradictoire et sereine. Il ne suffit pas de mettre ensemble plusieurs magistrats pour décider de la détention : ils disposent du même dossier. A plusieurs, ils prendront la décision d'un seul. Elle sera plus grave car reçue comme collective.

L'instruction doit être conçue contradictoirement. Prendre acte de l'engagement du juge à l'égard des « mis en examen ». D'autant qu'une nouvelle catégorie de juges est née : il y a celui qui veut se rendre célèbre pour se présenter aux élections ; celui qui se dit détenteur de l'ordre moral – et, comme souvent en la matière, il veut l'imposer aux autres sans le pratiquer lui-même –, ou bien celui qui cumule les deux ambitions.

Seul, ou aidé d'un cow-boy incompétent, il ne devrait pouvoir entendre, instruire, perquisitionner, menacer de prison, conduire en prison sans que, à chaque stade, le coupable désigné puisse, en même temps, faire entendre sa voix, être présent ou représenté. Tous les éléments et appréciations figureront alors vraiment dans le dossier d'instruction dont le juge demeurerait le maître. Ne serait-ce que pour exiger des expertises immédiates avant une décision hâtive. Que peut connaître un juge lyonnais de 35 ans, sorti de l'école de Bordeaux, des rémunérations et du train de vie de Me Jean-Louis Dutaret, avocat international ? Compétent, doué, informé, il plaide à New York et à Chicago. Il a un comportement de « lawyer », pratique le lobbying. M. Courroye n'en sait rien. Il juge.

Seule une réforme de cette dimension permettrait de conserver des juges puissants et indépendants. Malgré les excès de quelques-uns, malgré ce que je subis, leur pouvoir ne doit pas être remis en cause. En effet le pouvoir politique, financier, industriel peut, lui aussi, dépasser les bornes. Les juges incarnent les garde-fous et les contre-pouvoirs indispensables. Formellement ce terme de contre-pouvoir est récusé parce que le « pouvoir » judiciaire en tant que tel n'existe pas. Le général de Gaulle a inscrit une « autorité » dans la Constitution. En république, le pouvoir appartient au peuple qui l'exerce par ses représentants.

Mais les juges doivent avoir les moyens d'exercer leur sévère contrôle. Seulement les différences d'analyse et d'interprétation de ceux qu'ils accusent doivent figurer au dossier. Il en va du respect de la dignité humaine. Désigner un homme public à la vindicte populaire avant tout jugement est attentatoire à cette dignité.

Tour à tour, majorité et opposition se servent des excès de la justice. Le Parti socialiste les exploite. Que dira-t-il si, à l'issue de son passage en correctionnelle, M. Emmanuelli, son premier secrétaire, se voit privé, pendant un temps, de ses droits civiques ? Personne ne devrait espérer se bâtir un avenir sur les décombres de la vie publique. L'absence de symboles et de repères dans la société conduit au drame. Une république dans laquelle les hommes publics et les juges sont soupçonnés en permanence est en danger. Edouard Balladur veut sauvegarder l'autorité de l'Etat pour prévenir cette dérive. Car un tel climat peut tout emporter, assurer la victoire du libéralisme le plus échevelé, affaiblir la France des citoyens par la contestation de l'intérêt général dont les hommes publics sont représentants, réduire l'impact et l'application de la règle commune dont les juges sont comptables.

Dans mon cas, il y a un autre fait troublant : M. Courroye a mis en prison préventive, pendant trois ans, M. Bernard M., accusé du meurtre de son épouse. Bernard M. a été acquitté. Il a pleuré pendant les trois ans de sa détention. La justice a été condamnée à 70 000 F de dommages et intérêts.

D'autres documents anonymes arrivent, ils en disent long sur le climat de délation. La place accordée aux «corbeaux», ces oiseaux aimés de certains juges, produit sur ces magistrats et notre société des effets détestables et parfois indélébiles.

Les corbeaux se déchaînent...

Vaincu, humilié

Je suis assis sur un banc, la tête dans les genoux. Minuit est passé. Mon corps s'abandonne. Je n'enregistre plus l'agitation médiatique dans les appartements, en face. Je tourne le dos à la rue. Inerte, le ventre vide depuis ce matin. Paris. Nanterre. Lyon. Attentes. Interrogatoire. Attente : je ne sais pas combien de temps on va me laisser là, dans ce palais de justice.

Vais-je être transféré en prison cette nuit? Personne ne me dit rien. Je ne sais toujours pas ce que « prison » veut dire. Le juge a dû partir.

Deux policiers, un homme et une femme, me surveillent. L'un d'eux ouvre la porte et avance un large fauteuil de bureau aux accoudoirs élevés. Je peux me reposer plus confortablement. Je lance : « Un fauteuil de ministre... Merci. »

Le policier femme s'approche. A ses heures perdues (ou gagnées?), elle peint. Plutôt des portraits.

Je lui conseille la visite du Musée de Grenoble, lui décris quelques salles... Ces deux policiers ont l'intelligence du cœur.

Une immense douleur me submerge, ma tête me pèse. Je suis blessé, vaincu, humilié aussi. Aussi loin que je me souvienne, je n'ai jamais connu pareil sentiment. Adolescent inconscient qui rentrait du centre de Grenoble à pied dans sa pauvre banlieue, ou bien employé à servir des clients, à transporter des caisses dans les magasins d'alimentation de mon quartier pour gagner mon argent de poche, refusé comme candidat-maire à Grenoble en 1977, parce que trop jeune et probablement pas assez bien né, jamais je n'ai ressenti la moindre atteinte à mon amour-propre, le désir d'une revanche sociale, rêvé d'un morceau de vie qui ne soit pas le mien. Jamais, consciemment en tout cas, je n'ai ressenti une humiliation dont je me souvienne et qui aurait pu constituer le ressort de mon action.

Mais ici, avant d'être conduit à la prison, on dirait que mon existence a craqué. Pour moi, le début de ce qui m'attend n'est pas pensable. D'ailleurs, je ne peux rien concevoir. La honte m'écrase. Ce n'est pas un jour de honte comme Tchernobyl, lorsque les Russes cachaient l'information, lorsque la France n'était pas à la hauteur. C'est une honte sans rémission parce qu'irrationnelle.

La pièce est sordide et, à l'extérieur, on sonne un

hallali que je n'entends pas. Cloué, immobile, impuissant, je n'ai plus de souvenir; et je n'ai pas d'avenir. Je cherche. Je tâtonne. Je cherche vers des terres inconnues jusqu'où mon propre raisonnement n'est jamais allé.

Où est, petite, menacée, tremblante et invincible à la fois la minuscule lueur? Cette part au-delà de moi, qui est aussi moi. Sursaut vital qui m'a fait résister, enfant, à la spirale de la folie, adolescent à l'échec du Foyer de Jeunes de Saint-Martin d'Hères, ou encore récemment au Groenland, cette ultime force qui m'a permis de m'arracher à la boue mortelle...

Là, simplement en réfléchissant, je constate que je suis vivant. Gravement malade, mais vivant. Vivant comme une larve, vivant comme un zombie, vivant et inutilisable, peut-être définitivement malade. Mais vivant. C'est tout ce que je sais. Rien d'autre. Pourquoi suis-je vivant? Je ne l'étais plus il y a quelques minutes et je le suis à nouveau.

Qui me donne cette idée de ma survie?

J'ai aussi un très fugitif désir de curiosité qui passe : j'aimerais être ces deux policiers qui regardent cet ancien ministre les yeux clos, recroquevillé sur sa souffrance, emporté par l'événement. Cette curiosité est aussi le roman de ma vie : où est la vie? Où est le roman? Comme en chacun de nous, je poursuis ce débat intime et renouvelé depuis toujours et pour toujours, entre moi et moi.

Cette lueur que je cherche, ce petit désir qui se fraie un chemin m'aident à survivre. Oui, je suis vivant. Plus précisément, je ne meurs pas aujourd'hui.

*

* *

Le fourgon cellulaire est dans la cour. J'ai le nez collé contre la porte métallique. Comme au confessionnal, je vois dans la pénombre, à travers la grille le profil très proche et immobile du jeune CRS qui veille. Mes genoux sont relevés et serrés dans la petite cage où je suis enfermé.

Le fourgon quitte le palais de justice. Arrêt devant la porte. Tout à coup les flashes et les projecteurs éclairent comme en plein jour, projettent des ombres et des lumières à travers les vitres grillagées. J'entends le vacarme des «sirènes» à travers la nuit de Lyon. Je perçois que nous sommes arrêtés devant la porte de la prison. Je parviens à me relever, tordu, à regarder derrière. Je veux voir la ville. J'aperçois un seul photographe. Il court, à perdre haleine, l'appareil photo tendu devant lui. Il mitraille et semble éperdu. Et puis plus rien. Voilà le calme de l'enceinte de la prison qui ressemble à un monastère. Un univers de portes, de grilles, de vestibules et d'escaliers, de bâtiments enchevêtrés, de hauts murs. De clefs et de gardiens. J'abandonne l'essentiel de mes effets personnels. La porte se referme. Je fais mon lit. Il est 2 heures du matin. Je suis dans la cellule de la prison.

*

* *

Bruits de nuit. Morceaux de sommeil.

Il me semble que je m'endors au petit matin.

A 7 heures, je sursaute : une grosse clef dans la serrure, les deux verrous claquent, la porte s'ouvre. Deux gardiens. C'est le réveil. Je suis hagard dans le lit, encore ivre de fatigue. Au lieu de disparaître avec le réveil, mon angoisse se prolonge et s'amplifie. Une forte migraine me prouve à nouveau que je suis vivant. Empoté, je ne sais quoi dire. J'entends ma voix qui demande faiblement s'il est possible d'obtenir des cachets d'aspirine.

On me les apporte à 7 heures 30, à l'heure de la distribution d'eau chaude. Les deux gardiens dans le couloir m'attendent et ne bougent pas. Ils ont une table à roulettes devant eux avec, dessus, une bassine d'eau. Ils ne parlent pas. Embarrassé, en tâtonnant avec mes bras je cherche mon caleçon parmi mes vêtements jetés sur le lit. Je l'enfile en me tortillant sous les draps. Ils m'observent. Je m'avance en caleçon, pieds nus, avec un saladier pour l'eau chaude. Ils me remettent des sachets de café soluble et les cachets : « Et voilà pour votre prétendu mal de tête. » Ce sera l'une des rares marques de mépris. A deux autres reprises, j'éprouverais ce même sentiment : un jour, un surveillant me donne l'ordre de me déshabiller : je me mets torse nu. Et au moment de défaire un à un les boutons de la braguette de mon jean, je le regarde fixement, un peu narquois, comme au cinéma. « Bon ça va. C'est bon. » Et il s'en va.

Un autre encore me fera la même demande. Ce jour-là je devais être moins solide. Il avait dû le ressentir. J'ai enlevé mon jean en baissant les yeux. J'ai gardé mon caleçon. « Enlevez votre slip. » Je me suis exécuté. Après m'avoir observé il est parti, en fermant la porte de ma cellule. Je me suis retrouvé derrière, debout, nu. C'est peu de chose et c'est beaucoup d'être nu, planté devant le regard de quelqu'un d'habillé qui vous observe et qui s'en va. Ce sont les deux seuls exemples : car le respect mutuel a fait naître beaucoup de fraternité.

Mais cette marque de dédain – « votre prétendu mal de tête » – tombe mal le premier matin. C'est une pointe de stylet profondément enfoncée dans un corps malade. Je me retrouve dans un autre monde. Sans défense. Je regarde autour de moi. Je ne reconnais rien. Non pas au sens où j'ai perdu mon monde familier, où je ne reconnais pas celui qui est là, sous mes yeux. Non. Dans ce cas, on reprend ses esprits, on s'accoutume en quelques secondes au nouvel univers. Mais je n'ai conscience de rien. Je me dis cette banalité : «je suis perdu», mais, là, c'est vrai. La pièce est triste, les murs sales, les vitres, le grillage, les barreaux, le mur d'enceinte... Je fais machinalement un inventaire sans pouvoir le retenir. Visiblement, je ne suis ni privilégié, ni mal traité. Cette prison Saint-Joseph, un ancien couvent, est très vieille. Les couches de peinture datent de quelques décennies déjà. En matière de propreté, on assure le minimum. La cellule fait 12 m^2. Il y a un lit, un lavabo, une table, un wc. La grille et les barreaux sont face au mur sombre. En levant les yeux, je vois le ciel. Dans une vie normale, rien de grave à tout cela. Jacqueline et moi, dans nos pérégrinations, au Tibet ou ailleurs, nous avons connu des conditions de vie plus dures. Là n'est pas le problème.

Rien ne vient me distraire de mon angoisse. Le choc de la prison, que j'avais craint, auréolé de mystère, produit de terribles effets. Je suis cassé, broyé. Je suis certain qu'une maladie grave se déclenche en moi. Mon cerveau tourne en rond, de plus en plus vite, sans être en mesure de rien arrêter. La lourde porte en bois, close, m'obsède, lentement. Je suis hagard.

*

* *

L'eau est tiède mais ce mauvais café, avec ce sucre, ont un goût de vie. A nouveau la clef, les deux verrous, la porte qui s'ouvre : « Vous pouvez prendre une douche. » La pièce froide à côté ressemble à une double cellule. Il y a une douche près de la fenêtre sans carreaux. Coule d'un tuyau sans pomme un gros jet d'eau chaude. J'aperçois l'œilleton sur la porte mais un muret empêche d'être vu en dessous des épaules. Une savonnette. Pas de gant. Une serviette. Après le café, c'est une seconde douceur. Une fois séché, il faut attendre derrière la porte close. Serrure, verrous de la salle de douche. Serrure, verrous de ma cellule. Vingt minutes ne se sont pas écoulées. Il est à peine 8 heures 30 du matin. Je ne peux pas envisager la journée qui s'avance. Il faudrait être courageux.

L'énergie ou la mort

Depuis vingt-cinq ans je suis sollicité, je cours de réunions en comités, d'inaugurations en rendez-vous. J'ai préservé des jardins secrets. Je me suis contraint à des retraites. Jamais, tout ne s'est ainsi arrêté avec brutalité. Contre ma volonté. Sans laisser subsister aucun de mes repères. Jacqueline, les êtres qui me sont chers, ma famille, mes amis, je ne peux pas les voir, pas leur parler, leur faire un signe, même silencieux. Pas de tendresse non plus. Rien. Le vide. La solitude et l'enfermement ne sont plus des mots, des concepts, une idée, que sais-je? Je suis seul et enfermé. Rien ni personne ne me viendra en aide, ne me sera d'un quelconque secours pendant de longues heures, de longs jours et de longues nuits.

Jacques Boedels, atterré par la décision du juge, me rend une visite rapide le premier jour: «Jacqueline est à la porte de la prison. Il lui est interdit de te voir. » Il a les larmes aux yeux. Moi aussi. Mais il est déjà d'un autre monde, avec son costume. Il ne peut plus comprendre. Je ne peux rien lui faire partager. « Tout va bien, ne t'attarde pas. » Pour la première fois, nous nous embrassons. De retour dans la cellule, les verrous claquent dans mon dos. Je vacille. Seule la mort peut me libérer de ma souffrance. Je regarde la ceinture sur le lit. J'ai envie de la serrer autour de mon cou. Je prends la précaution de m'en séparer. Pour m'éviter toute tentation. Dans mon déchirement je suis donc lucide. Je sais aussi que frôler l'idée de la mort, ce n'est pas frôler la mort.

Quelques jours plus tard, à cause d'un brouhaha dans le couloir, je comprends qu'un détenu vient de faire, avec une ficelle, une tentative de pendaison. Il a été placé là, à l'isolement, pour avoir sodomisé sous la contrainte ses camarades de cellule. Les gardiens le sauvent.

Le quartier du « Mitard » ! J'ai bien lu, entendu ce mot dans le passé. J'ai compris son sens. Comme un mot exotique. Peut-être même un endroit à visiter, un jour... Le quartier des prisonniers « punis » pour avoir commis une faute en prison. Un régime plutôt sévère : pas de matelas dans la journée, le pyjama à 17 heures, pas de lumière la nuit, jamais de TV, de radio, de montre... La cellule comporte une porte et une grille en fer qui réduit encore l'espace. Certains détenus crient pendant des heures, appellent un interlocuteur invisible, secouent la grille et font un tapage terrible. Je me les figure dans le noir, les bras en haut de la grille, les jambes écartées tendues en arrière, le regard fixé sur la porte, en train d'agiter la ferraille, de gémir et parfois de s'égosiller. L'écho de tous ces borborygmes humains résonne dans les couloirs et les cellules. Je ne comprends pas la signification de ce flot de mots. Une longue plainte à laquelle je voudrais savoir répondre. Mais ces appels désespérés n'attendent pas de réponse. Alors je pénètre dans le déséquilibre qui frôle la folie. Cette détresse nue, déchirante, quasiment bestiale. Cette vie souterraine et secrète accompagne mon angoisse. En retenant mon souffle, j'attends le moment où le détenu va se fracasser la tête contre la grille qui résiste, symbole de sa solitude et de sa souffrance. La punition peut durer 45 jours.

Mais si le gardien donne l'heure, simplement l'heure en passant dans le couloir, en cet automne où les jours se confondent avec la nuit, voilà une parole, un repère qui ramène vers la vie. Pour l'enfant « il ne fait pas nuit quand quelqu'un parle ». La voix qui pleure dit la limite qu'elle ne peut dépasser. Tout repose sur l'intelligence du gardien. Il ne voit peut-être pas le visage crispé, les yeux certainement exorbités de celui qui n'en peut plus. Mais il l'entend.

Parfois il parle. Comme un chant du monde, noble et profond, ce jeu de voix n'a pas de mots. Il récite l'essentiel de l'humanité entre les hommes. Quand ils n'ont plus rien à perdre, ni à partager, mais qu'ils ne veulent pas mourir. Un univers de voix sans visages, de solitudes accumulées.

Une fois, dans la cour, une chanson descend d'une cellule. Lentement, chaudement, elle murmure « joyeux anniversaire... joyeux anniversaire... joyeux anniversaire... » Je ne comprends pas le prénom. Est-ce l'anniversaire de celle qu'il aime ? A-t-il convenu d'une heure précise où il serait en communion de pensée avec elle ? ou bien, comme je le crois, est-ce le sien ? N'empêche, ce « joyeux anniversaire »-là, répété, mélancolique, sans espoir, comme une sorte de souvenir sans avenir, témoigne d'un désarroi, d'une peine que rien ne vient consoler. Assis dans la cour, interrompant mes mouvements, j'écoute, impuissant à adresser la parole, à lancer une phrase à ce grand mur nu. Cette voix qui tombe de je ne sais quelle grille n'est pas seule au monde. Elle ne le sait pas.

*

* *

Je suis placé dans ce quartier particulier. Je signe sans comprendre une notification d'isolement pour raisons de sécurité. La direction de la prison craint, légitimement, que mêlé à d'autres je ne sois utilisé comme otage, ou instrument de perturbation de la vie pénitentiaire. Je ne vois donc personne et personne ne me voit. Hormis pour l'indispensable. A l'heure des repas je descends seul l'escalier avec mon assiette et je rejoins ma cellule. Même opération avec la cellule suivante. Personne ne se croise ! Il y a un cache amovible sur le judas de chaque porte. Le gardien, en le soulevant, peut observer le détenu. Entre 7 heures le matin et 18 heures, il obstrue cette lucarne de l'intérieur. Ainsi, si un détenu soulève le cache extérieur, il ne peut rien voir. Après 18 heures, seul le personnel circule. Cette précaution me permet de bénéficier de l'intimité de la journée. Je peux me changer, aller aux toilettes sans pouvoir être surpris par un surveillant. Je m'accroche à cette idée. Elle s'évapore.

*
* *

Ma ceinture n'est plus là. Je préfère ça. Avec la saga de tous ces morts qui dansent dans ma tête : l'ombre de Jean-Paul Kreher et de sa moto rouge et blanche. Le sourire lumineux de Gérard Barthelaix, secrétaire national des Jeunes gaullistes, emporté par un accident, avec son épouse, à 27 ans. L'alpiniste Pierre Beghin dont j'attends le retour chaque mois d'octobre. Si souvent j'imagine l'instant où sa main a lâché la paroi de glace. Gaétan de Royer qui a bientôt l'âge et le visage de son père, mon ami Bertrand, quand je l'ai connu : j'aurais du mal à marcher à côté de lui, dans le parc de sa maison, où tant d'images joyeuses me retiennent, sans ressentir une troublante et forte nostalgie. Et défilent les hommes publics victimes de la calomnie : Aymeric Simon-Lorrière, jeune député de Toulon, à la carrière si prometteuse, je ne l'ai jamais oublié. Robert Boulin et Pierre Bérégovoy dont les vies m'inspirent le respect. Et tant d'autres. Ils personnifient la dimension tragique de la vie publique.

Songeant à eux, je me coupe totalement des journaux, de la télévision, de la radio. Les mots et les images tuent. L'arrestation d'un ancien ministre provoque un comportement de meute. Je me refuse à envisager les commentaires. Jacqueline, je ne le sais pas encore, aura le même réflexe que moi. Dans quelques années peut-être lirai-je les journaux consacrés à cette période; peut-être regarderai-je les cassettes des journaux télévisés? Je n'en suis pas là! Dans le passé, j'avais songé à me protéger lorsque, sous mes yeux, des hommes politiques, emportés par un torrent de boue, mettaient fin à leur vie. En réalité, je ne parvenais pas à concevoir ma réaction dans une telle situation. Une part d'irrationnel me manquait.

En prison, les «événements» de l'extérieur m'arrivent par hasard, plusieurs jours après qu'ils se sont produits. Si je les subissais de plein fouet, ils m'emporteraient. J'apprends la démission de Gérard Longuet au moment de tendre mon assiette pour le repas.

— Ah? Vous ne saviez pas? C'est arrivé il y a trois jours.

J'ignore tout ce qui se déverse sur mon compte...

— Il est beaucoup question de vous à la télé...

— Ah bon...

— Le Pen, de Villiers, Ségolène Royal vous attaquent, un RPR dont je ne me rappelle pas le nom a dit que vous aviez votre place au bureau politique...

Je ne suis pas étonné de la réaction de ces trois-là. Je bénis ce RPR inconnu. Et puis c'est tout. C'est fini.

*

* *

Je partage l'opprobre de cette longue cohorte d'hommes publics dont le nom est livré en pâture à l'opinion; ce sentiment d'être submergé par le poids, le nombre et la perfidie des agressions, l'honneur, le nom, la réputation emportés à tout jamais et, avec eux, le goût, le désir de vivre. Plus de sol. Plus de ciel. Plus personne. Assiégé, obsédé par le regard des autres : on croit y lire l'accusation qui tue. Le détracteur, le juge ont, eux, la réputation du juste.

Ce que la vie a produit d'utile et de fort s'évanouit en quelques secondes. Toute perspective d'avenir est morte. A quoi bon vivre? Le nez collé contre la vitre, acculé à vivre dans l'immédiat, qui peut se projeter dans un futur? Imaginer la lecture de ces événements une décennie plus tard? S'attarder sur tel homme public aimé aujourd'hui, vilipendé hier, admettre que les modes, le fil du temps, les législations, le jeu des générations permettent que quelqu'un cloué au pilori aujourd'hui peut être adoré demain, pour peu qu'il accepte de se maintenir debout dans la tempête.

Je le sais. Mais ça ne m'est d'aucun secours. Pourtant je l'ai croisée, la mort née de l'humiliation. J'ai vu, j'ai su quand mon prédécesseur à la mairie a décidé de se suicider. C'était encore un 14 juillet. Celui de 1983. Oh! entendons-nous bien, il ne m'a rien dit. Il ne m'a pas parlé. Mais j'ai compris qu'il allait mourir de chagrin.

Son échec, trois mois plus tôt, avait été sans appel. Ignorant la défaite publique, il en était profondément offensé. Je ne l'avais plus jamais rencontré. Il n'était pas venu m'accueillir à l'Hôtel de Ville, ni siégé au Conseil municipal. Je l'ai croisé de loin, ce 14 juillet 1983. Mon premier 14 juillet de maire. Son dernier. J'étais avec son chauffeur – celui qui avait été son chauffeur pendant dix-huit ans – à l'arrière de sa voiture de fonction. Lui conduisait sa R9. Pas moyen de se garer. Les piétons, nombreux, ne faisaient pas attention à lui. Les traits contractés, il cherchait à se ga-

rer correctement pour ne pas s'attirer les réflexions désobligeantes des passants. Il ne pouvait pas arriver en retard au défilé : cela aurait été interprété comme un geste volontaire. Combien de fois, dans l'opposition, avec ma 4L, j'ai vécu la même situation !

Au moment où j'arrive aux côtés du préfet, devant les tribunes, des applaudissements nourris me saluent. Hubert Dubedout, qui vient enfin de garer sa voiture, se hâte vers les tribunes, double des passants et perçoit la salve d'applaudissements qui m'est destinée. Après le salut au drapeau et la Marseillaise, je rejoins ma place.

A ce moment-là, sur ma gauche, à distance de 15 ou 20 personnes, je sais qu'Hubert Dubedout arrive. Je ne le regarde pas, mais je le sais. Il s'est placé où il a pu, lui qui a régné dix-huit ans sur la ville. Il regarde le défilé. A peine arrivé, il n'a plus qu'une seule envie, un seul désir : partir. Oublier. Il est étranger au milieu des siens. Il n'y a pas eu de regard particulier, de fait précis, de parole convenue. L'âme a enregistré plus vite que toute pensée l'urgence de disparaître.

Je crois – je n'en sais rien – que ce 14 juillet 1983, il décida de quitter Grenoble (ce qu'il fit) tout en achevant son mandat de député. Son premier adjoint, le socialiste Jean Verlhac m'avait lâché à son propos ce mot terrible : « Tant sur le plan personnel que politique, il représente le contraire de ce qu'il est. »

C'est possible. Je sais seulement que la souffrance et l'humiliation écrasante l'avaient submergé et qu'il n'avait pas le goût de les transformer en énergie pour l'action. Mieux valait donc mourir. J'avais été peiné ce jour-là. Impuissant aussi. Ici, à la prison Saint-Joseph, au moment où je repense à cette douleur, j'éprouve le même chagrin.

Hubert Dubedout se livra avec plus d'intensité aux courses en montagne. Echapper à la douleur en souffrant parfois dans l'effort physique. Echapper à soi en se donnant d'autres objectifs de dépassement. Il mourut trois ans après, le 25 juillet 1986. D'un arrêt du cœur en montagne. J'étais ministre de l'Environnement.

Une décennie après sa défaite cuisante, ma chute d'aujourd'hui aurait pu le projeter à nouveau dans l'actualité. Il aurait 72 ans. Honnête homme, le financement occulte des partis politiques était de règle sous son autorité reconnue. Mais sa froideur, sa rigueur apparente qui est, selon moi, la manière de prendre parfois des décisions sans peser leur poids d'humanité, tout ce que j'avais rejeté en 1983, le ferait aimer aujourd'hui. Mais aurait-il pu songer à cela en ce 14 juillet 1983 ? Dubedout a subi un terrible échec électoral. Les Grenoblois l'ont désavoué et il ne supporte pas cette humiliation.

La seconde nuit en prison ne me rend pas la raison. Toutes les demi-heures, la grosse lampe s'allume et m'aveugle. Le cache extérieur du judas se soulève et un regard grossi me scrute. Le juge a exigé cette surveillance accrue. D'une certaine manière, il me veut mort. Mais pas suicidé. Alors je lève l'avant-bras pour signifier que je suis vivant. Quand je parviens à m'endormir, à oublier enfin où je suis, qui je suis, l'espace de quelques secondes bienheureuses, la lumière soudaine et cet œil extraterrestre me ramènent à la dure réalité. Demi-sommeil, sommeil, réveils en sursaut et en sueur, fulgurances insensées qui traversent les cauchemars et me réveillent, haletant. Eveillé, je suis aussi angoissé qu'endormi. Un cauchemar revient : Barbie. Je suis dans la cellule où le gestapiste a passé des années. Le lit, le lavabo, la table, le wc ont été les siens.

Je m'assois sur le lit, tête baissée, jambes pendantes, sans ressort. Le projecteur du mirador éclaire la cour, entre la prison et le mur d'enceinte. L'ombre des barreaux se reflète dans la cellule. Déchiré par cette promiscuité invisible, je n'ai plus de souffle. Par moments, j'ai la sensation de ne plus respirer.

Une ronde de visages fait procession dans ma tête. Celui de Simone Lagrange. Elle a témoigné contre Barbie, raconté les atrocités qu'elle a subies. Celui de Pierre Gascon, commandeur de la légion d'Honneur, mon premier adjoint, déporté et résistant. Je ne sais pas encore qu'il assume avec autorité et loyauté mon intérim à la mairie. Les visages de mes amis de la communauté juive. Aux cérémonies du souvenir, leurs regards sont emplis d'une détresse qui n'en finira jamais. Les Grenoblois, les résistants, les déportés portent tous quelque chose du visage de leur famille ou de leurs camarades suppliciés. Mes actes, ma vie, tout se succède, s'intercale dans un désordre fou. Comme un film démonté. Des rushes sans logique.

Plié sur mon lit, apathique, sans pouvoir m'allonger, paniqué, j'ai aussi, dans de trop courts instants, des bouffées de vraie haine.

Ce n'est pas possible. Je ne suis pas là. C'est un autre.

*
* *

A 7 heures, à l'heure du réveil réglementaire, je suis déjà épuisé et vaincu. Je suis ici depuis toujours. Les verrous claquent, les tuyauteries et les chasses d'eau font un vacarme d'enfer, le trafic sur le boulevard ne s'arrête pas, les cris non plus...

Dans ce capharnaüm, les détenus se repèrent. Avant l'ouverture de la porte, ils savent le nom du surveillant à sa manière de tirer les verrous.

L'accoutumance et l'attention à ces sonorités,

dans la solitude, permet d'apprendre toutes les manies. Pour moi, c'est un orchestre désaccordé qui me laboure le crâne.

J'essaie de lire. Pas une décision, un réflexe. Je tourne les pages. Les mots défilent. Je ne retiens rien. Comme si les pages étaient blanches.

Avec la serpillière, j'entreprends de nettoyer les vitres sales de la cellule pour faire pénétrer la lumière du jour. Eviter toute la journée l'éclairage électrique. Il y a 32 petits carreaux. C'est long. Pour cette opération, la serpillière – qui dégouline – n'est pas pratique. Le lavabo, rond, est minuscule. Le bouton-poussoir donne de l'eau quelques secondes. Rincer la serpillière est une tâche de longue haleine. Le résultat est tout de même probant. J'éteins et la cellule n'est plus totalement sombre. Avec la même serpillière et la lessive Saint-Marc, j'attaque le sol. Rinçage, petit lavabo, petite surface, sécher... Je frotte et, pendant ce temps, je ne réfléchis à rien. Je m'allonge, je me repose pendant que sèche la cellule parfumée à la lessive Saint-Marc. Au sol, des taches sombres. Mais ce n'est plus de la crasse, seulement de la peinture écaillée. Mon territoire se dessine. Je m'accroche à cet infiniment petit, à des gestes insignifiants. J'ai la sensation de commencer à ramper.

*
* *

Je suis épuisé. Rien de commun avec l'épuisement ressenti après des mois d'activité intensive. Mon visage est alors ravagé par la fatigue, les yeux cerclés de vastes cernes noirs ; je suis sans ressort. Dans ces instants, je décide de m'isoler dans un hôtel ou chez des amis. Je dors des jours durant. J'ai d'abord des soubresauts. Un bras, une jambe, mon corps tout entier peuvent sursauter indépendamment de moi. J'ai des haut-le-cœur. Puis le sommeil apaise lentement mon agitation.

Après quelques jours de repos, la tête lourde, comme un convalescent, je peux faire quelques pas. Suis-je redevenu lucide ? Je me teste.

*
* *

Ici aussi, au troisième jour de prison, une partie de ma « mécanique » se remet à fonctionner. Je suis réveillé à 7 heures. A 7 heures 30, distribution d'eau chaude avec sachets de café soluble. A 8 heures, douche. Le règlement autorise l'utilisation d'un « thermo-plongeur ». Un appareil électrique très sim-

ple : il chauffe une résistance. Il suffit alors de le plonger dans le liquide. Le réveil réglementaire aura toujours lieu à 7 heures mais je sors du lit quand je le veux et je choisis l'heure du café. Il est également possible de retarder l'heure de la douche ! Le début de la journée est plus paisible. Histoire de la rendre moins longue. Le déjeuner est à 11 heures et le dîner à 17 heures. Je conserve le repas de 11 heures pour le prendre vers 14 heures après ma « sortie » quotidienne. Le déjeuner est froid ? Je constate que les plats sont aussi intéressants refroidis. Le soir, je fais de même : je peux réchauffer le potage quotidien. La soirée paraît moins longue. Ridicule, la serpillière, les carreaux, le sol, l'heure des repas, ridicule de se lever ? Ridicule certainement dans une autre vie, dans un monde disparu, oublié, que je ne veux même plus imaginer. Ici, au niveau où je rampe, tout cela prend la dimension d'un refus de l'abandon, d'un début de dignité retrouvée. Ça fait la différence entre la dépendance totale et une part, aussi petite soit-elle, d'autonomie. La journée dépend un peu de moi. Je me construis des béquilles. Ma souffrance demeure aride, nue. Je ne cherche pas à lui donner d'explications, seulement des béquilles. Heureusement. Car les nouvelles font mal. Il y a surenchère dans la bassesse. Je déchiffre dans un compte rendu d'audition qu'un haut fonctionnaire, ancien collaborateur, donne son opinion sur mes mœurs. Il répercute des rumeurs, et dans sa bouche, elles deviennent fondées. Le juge, complaisant, le questionne. Il signe son forfait. Ecœurement. La nausée peut balayer toute résistance. Je mesure le prix de mes ambiguïtés de façade. Jacqueline et moi avions refusé de nous marier avant les élections municipales. Faire de notre union un argument électoral ! La rumeur et certains conseils pour éviter un candidat « célibataire » étaient certes arrivés jusqu'à moi. Cela me laisse indifférent. Je trouve même parfois du divertissement à l'idée des mystères et des questions que je provoque. maire de Grenoble, puis président du Conseil général, puis ministre. La rumeur n'avait fait qu'enfler. Je n'en tenais aucun compte car Jacqueline et moi étions heureux ensemble. La vie publique n'avait pas à interférer dans la qualité de notre relation. Nous nous sommes mariés en 1987, dans l'intimité. J'étais ministre-maire et président du Conseil général. Nommé et élu « célibataire »...

Au fond de moi, je déteste me livrer à cette modeste exhibition personnelle. Cette odieuse prétention à la « transparence ». Cette idée de « morale publique » qu'elle sous-tend. La morale appartient à chaque être humain. J'estime mon éthique personnelle élevée. Elle ne regarde que moi. Un homme politique qui prône un ordre moral est soit un tartufe, soit un fasciste. De quel droit imposer sa moralité aux autres ? Et, en ce cas, doit-elle fluctuer en fonction des majorités ? S'imposer chaque fois à ceux qui ont perdu les élections ? On dispose de l'exemple dramatique de ces conservateurs anglais prônant un certain nombre de « vertus » et retrouvés morts, étouffés avec un bas sur la tête à la suite de je ne sais quelles contorsions sexuelles.

Pour ce qui concerne son intimité, un homme public ne doit la vérité qu'à lui-même. C'est sa liberté. Sa dignité. Elles doivent êtres respectées.

La rumeur sur des mœurs « pas ordinaires » ne m'en a pas moins poursuivi tout au long de ma vie publique : elle court, elle enfle avec les défaites et les difficultés. Comme une marée, elle se retire en temps de victoire. Elle va et vient, monte et descend avec les modes. Ce mouvement de balancier qui oscille entre une position de force et de faiblesse en dit long sur l'âme humaine. Evidemment, pour moi, dans la période présente, la boue submerge tout. Une feuille locale dont l'un des responsables connaît pourtant ma vie depuis des années, évoque ma « garçonnière » dans Grenoble, insiste sur tel collaborateur et « ami ». Le juge et la police judiciaire entendent là encore démasquer cette « fange ».

On fouille avec délectation, on visite les appartements de mes collaborateurs, de mes relations en se léchant les babines. On cherche des indices sur les mœurs, autant que sur l'argent. On a soif de trouver les deux. Avec du sexy. Le spectacle y gagnerait. « Je le savais.» «Je l'ai vu.» «Je vous l'avais bien dit.» La police et le juge orchestrent. On viole. Je ne m'appartiens plus. L'horreur. Seule Jacqueline et son endurance m'importent. On m'a souvent vu seul, ici ou là, tard, dans la ville? Voilà la preuve...

Mon plaisir? Minuit est passé dans mon bureau de l'Hôtel de Ville. Seuls la table de travail et mes papiers sont sous la lumière. Le reste est pénombre. Comme souvent le maire est le dernier. J'aime ce devoir. Il me libère de ma charge. Je distribue les dossiers que les plus matinaux de mes collaborateurs trouveront. Je quitte la mairie d'un cœur léger, quel que soit le temps, parfois les mains dans les poches. Plus d'obligation. Plus de représentation. C'est le temps des étudiants, des premières fois, les moments où tout commence. Je longe le parc Mistral sur quelques mètres. Des voitures de toute immatriculation rôdent, veilleuses allumées, à la recherche de plaisirs interdits. J'emprunte le boulevard Agutte Sembat, la place Victor Hugo. Je rencontre un clochard. Je m'assois à côté de lui sur le banc. Hagard, hébété, il me regarde: nous parlons. Certains m'accompagnent jusqu'à mon domicile. A d'autres, je communique l'adresse du foyer qu'ils ignorent.

En quittant la mairie, je peux aussi me diriger vers la place Notre-Dame, les rues Brocherie, Chenoise, les places aux Herbes ou Saint-André! Des noctambules ont été mis à la porte des débits de boisson qui ont fermé. Je m'arrête. J'observe. Je suis interpellé. Je discute dans la rue. Discussions oiseuses ou floues d'après-boire. Qui passent du rire à la tristesse, d'un sujet à l'autre, sans rime ni raison. Des clients sont entassés dans un bistrot qui a fermé ses portes. Ils me font signe de les rejoindre et l'ambiance paraît chaude. Je leur souris. Je poursuis mon chemin. Je salue une voiture de police qui roule lentement.

Je partage aussi les malheurs, les misères de « l'autre » Grenoble : je ne laisse pas quelqu'un, seul, assis devant une porte cochère sans lui parler. Je soulage parfois : permettre de passer la nuit dans un petit hôtel. Donner une adresse et un rendez-vous pour une visite sociale le lendemain.

Aujourd'hui cette flânerie, ce moment de liberté et de bien-être suscite des interrogations, des commentaires, une imagination débordante. Je n'y ai jamais pensé. L'ancien maire, le docteur Michallon, dans les années 60 allait se détendre le soir après le bureau en lançant des boules de bowling ! La ville bruissait de cette inconvenance qui devait en cacher d'autres...

Moi cela me rappelle mes marches d'après le cinéma, celles où je refaisais le monde. Maire et ministre, je suis le même homme, j'ai les mêmes désirs et je ne veux pas voir la vie d'un seul côté.

Chez moi, lorsque j'arrive avenue Alsace-Lorraine, le patron de la brasserie Hermès, au pied de l'immeuble, me fait un grand salut de la main. Moi aussi. Un geste profond. Pas une habitude, ni un signe obligé, indifférent. Non, il signifie : «Nous sommes les mêmes, nous vivons au même endroit, nous travaillons, moi en accueillant les solitudes des hommes, le soir, près de la gare, et vous en partageant un peu de leurs peines avec vos dossiers, vos réunions, ce soir, comme les autres soirs.»

Chez nous, Jacqueline ne dort pas. Nous soupons ensemble. Ou bien je me glisse dans le lit chaud pour la tendresse ou le plaisir. Enfin la nuit peut me saisir.

*

* *

Ma fantaisie, associée à d'autres signes, je mesure désormais ce qu'elle a pu susciter.

Ainsi, un mois après m'avoir emprisonné, un an après avoir engagé son instruction, dans une affaire qui a six ans d'âge, le juge vient m'expliquer qu'il veut visiter mon bureau au Conseil général. Faussement délicat, il «souhaite perquisitionner dans la partie privative». Je souris intérieurement. Un témoin, une lettre anonyme supplémentaire ont suggéré que je disposais d'une «garçonnière» au Conseil général de l'Isère ! Sa curiosité en dit long. Il sait bien ne pas trouver, six ans après qu'elle ait eu lieu et ce, dans «mes appartements privés», la preuve de ma prétendue corruption. Je souris de penser que le juge Courroye va passer une partie de sa journée à constater que le président du Conseil général ne dispose pas de «partie privative».

— Mais, où dort-il? demandera, énervé, l'inspecteur qui l'accompagne.

— Chez lui, répondra Christine Guillot, mon séduisant chef de cabinet qui l'accueille.

Inimaginable. Impossible. Un ministre-maire qui, à Grenoble, dort chez lui, où il rentre le soir et part le matin! Sans gardien, ni personnel! Il suffisait d'interroger mes voisins, le bistrotier, le boulanger, le chauffeur qui apporte les journaux! Pas besoin d'être psychanalyste ou docteur en psychologie. Quelques-unes des motivations intimes de M. Courroye se dévoilent quand il s'intéresse aux mœurs, à l'argent, au train de vie supposé des hommes publics. Cette curiosité malsaine, nauséabonde parfois, suffit à diagnostiquer l'ampleur des frustrations de certains juges.

Ils diabolisent la vie publique. Sa dureté, l'implication qu'elle exige, l'effort qu'elle requiert leur sont étrangers. Les revenus qu'elle serait censée procurer relèvent du mythe. Il faut résister à cette suspicion. Ne pas être balayé. Ne pas appartenir à la liste des victimes qui la paient de leur vie. Heureusement l'action publique, si elle motive ma vie, ne la résume pas. Elle n'est pas mon unique miroir. Je ne suis pas brisé avec lui.

Comme ici en prison, avec la serpillière, l'heure des repas, je sais m'accrocher à ce qui reste de tangible. Sans que j'y prenne garde, Jacqueline m'a aidé à préserver ces actes de la vie quotidienne : prendre sa petite voiture, aller à la campagne, lire ensemble, faire une balade à pied ou à vélo, aller au cinéma, préserver une part d'isolement. Des morceaux d'existence « petits-bourgeois » raillés par ceux qui ne croient qu'en leur destin.

Ces actes limpides de bonheur tranquille remontent à la surface. Une partie de ma douleur vient mourir doucement sur cette digue. Au-delà de la vie publique, consciencieusement et systématiquement détruite, subsistent des éléments de la vie. Réflexes d'animal. Gestes d'instinct qui sauvent. Sans réfléchir, comme un automate dégingandé, hoquetant, poursuivant sa course, en moi, indépendamment de moi, des composants recommencent à fonctionner.

Horizons vertigineux

J'appelle les gardiens. Je cogne contre la porte. C'est dimanche. Je suis seul depuis quatre jours et quatre nuits. Je n'ai pas les yeux exorbités, mes jambes ne sont pas tendues, écartées en arrière comme ces détenus que j'imagine. Mais je suis contraint de me parler à haute voix. Oui acculé ! Je ne peux plus rester seul sans m'entendre. Il m'est nécessaire d'être deux. Je ne suis pas fou. Mais ces jours et ces nuits pèsent lourd. Ici, je comprends Stefan Zweig : « Aucune chose au monde n'oppresse davantage l'âme humaine que le néant. » Je discerne aussi l'efficacité de la torture nazie : enfermer les gens, seuls. Le besoin de parler fait parler. Logiquement, un prisonnier à l'isolement finit par avouer ce qu'il a dans la tête. Il dit n'importe quoi, ou devient fou. J'ai souvent utilisé l'expression « être enfermé entre quatre murs ». Je n'ignorerai plus jamais sa véritable signification. Je ne me suffis pas. Il y a ce fil qui conduit de l'angoisse à la folie. Je crains de commencer à le suivre, lucide, malheureux mais lucide. Ce fil m'a tant inquiété, enfant. Le noir de la spirale, la question qui dépasse mon entendement. « Pourquoi y a-t-il nous et pas rien ? » L'oreiller sur les oreilles, la tête sous la pluie sont inefficaces à 45 ans. Mais cette terreur cachée me sert. Je connais le moment où tout peut basculer.

Me parler à haute voix. Ma voix est vivante, elle a une chair. Mon cerveau doit être programmé pour parler. Quatre jours et quatre nuits d'enfermement, dans un univers opaque, pour moi inintelligible entre angoisse et solitude. Les murs et la porte me persécutent. Est-ce sans danger de parler tout seul à haute voix ? Pour la première fois je tambourine à la porte. MM. Strady et Cresson sont les surveillants de garde. Je lis mon regard hideux sur leurs visages. Je comprends une partie de moi-même : j'ai les yeux fixes de celui qui est parti dans un voyage qui peut être sans retour.

— Je ne veux pas vous inquiéter mais je suis contraint de parler à haute voix. Est-ce dangereux ?

En posant la question, je connais la réponse. Mais je crains la spirale. Vous savez, ce moment où l'on commence, encore lucide... Les surveillants sourient. L'habitude. C'est naturel. Je n'ai pas à m'inquiéter. Au fond je ne m'inquiète pas. Je prends mes précautions. La facilité, la paresse peuvent endormir ma vigilance. Ils discutent avec moi, sans en avoir l'air, avec tact. Mon cerveau s'étonne d'entendre des voix humaines qui disent des phrases. Il est question de sports. Les équipes de hockey sur glace de Grenoble, du club de Rugby, de Bruno Saby, le pilote automobile, de Philippe Collet, le perchiste, des «6 jours de Grenoble» qui vont démarrer, de Jeanie Longo, cette immense championne grenobloise. Une autre planète. Tous ces amis m'ont envoyé, plus tard, des messages affectueux. Je découvre avec le personnel pénitentiaire à la tâche si difficile, plus d'humanité que je n'en ai trouvé chez le juge et le Procureur : 7 jours et 7 nuits avant que je puisse voir Jacqueline, une heure !

*

* *

Ils s'en vont. C'est dimanche. Les gestes de tous les jours s'enchaînent : laver la vaisselle, nettoyer la table. Je suis immobile depuis quatre jours. Je me rends bien dans la cour à 12 heures 30 pour la «promenade» obligatoire mais, à peine arrivé, je souhaite remonter. La cour est entourée de hauts murs sombres, et mesure 10 mètres de long sur 6 mètres de large. Elle est recouverte d'un grillage au maillage serré. La porte de ce bâtiment de la prison et la cour close sont séparées par deux mètres à l'air libre. C'est le seul endroit où je vois le ciel sans grille ni barreaux. Deux secondes pendant lesquelles je les franchis, le nez en l'air, les yeux fixés loin, là-haut, dans l'infini.

Allez, il faut s'y mettre ! Utiliser la promenade pour faire du sport. J'ai assez enragé de ne pouvoir pratiquer plus. Je commence par le jogging : on dirait un âne qui tourne autour d'un piquet imaginaire. Je dois changer souvent de sens pour éviter que ma tête tourne. Puis abdominaux et flexions. Je les compte. Je suis excité à l'idée d'améliorer mes performances. J'adhère de tout mon être. L'effort devient comme l'oreiller et la tête sous la pluie : il chasse les mauvaises pensées qui dépassent mon entendement. L'obligation d'un effort répétitif me rend une part de liberté. Fatigué, essoufflé, je dois récupérer avant de me lever. Réclamer une douche à cause de la transpiration. Ma pauvre existence est suspendue à cette action.

Plus tard, pour éviter la lassitude, mon neveu Christophe Guinamard, skieur professionnel et son copain Joseph, moniteur sportif, m'adressent un tableau avec des mouvements, leur nombre, des durées d'efforts proportionnels à mes possibilités qu'ils connaissent bien.

Préserver mon intégrité physique, c'est préserver quelque chose de moi qui appartient à Jacqueline et à mon intimité. Puisque je ne meurs pas, je suis certain de son utilité.

*

* *

Voilà. Je ne rampe plus tout à fait dans ma tête.

Je ne peux pas affirmer «c'est là que j'ai recommencé à exister». Je ne sais où, en moi, de quelles profondeurs surgit la vie. Disons que ma douleur et ma solitude sont plus vastes. Je redeviens l'adolescent qui s'avoue ses angoisses, ses peurs, qui approfondit son isolement, qui apprend à ne pas gâcher sa souffrance en ne lui laissant rien produire. Ne plus être appauvri par ces sentiments : ne plus les craindre. Les apprivoiser et s'en servir.

Au lieu de me paralyser, de me réduire, ils sont à nouveau des compagnons. Certes, des compagnons mystérieux, cachés dans une région de mon âme que mes mots ne savent pas percer. Mais de là-bas, surgissent dans le désordre et un silence assourdissant des représentations étranges, des chemins d'ombre, des sensations énigmatiques.

Par ce combat intérieur, je découvre que mon existence aussi difficile, aussi loin qu'elle peut aller dans le doute est moins menacée qu'une vie de rancœurs accumulées, de monotonie et de mutisme, qui m'auraient assassiné plus sûrement.

Ainsi une décision qui ne m'appartient pas et qui devait me laisser sans défense ni protection a renforcé ma capacité à vivre.

Ici, comme devant le chapelet de villages qui surplombe la Grave, mon horizon peut aussi devenir vertigineux. C'est à la fois merveilleux et dangereux.

Destins

— Vous savez, pour moi, c'est fini...

Le président de la République est enfoncé à l'arrière de sa voiture. Son visage regarde devant lui, mais il est penché sur l'accoudoir, sa tête très proche de moi. Un tournoiement d'hélicoptère vient de déposer François Mitterrand et sa suite sur le stade de football de Grenoble. Ce 31 mai 1991, il participe au congrès de la Mutualité. La voiture roule sur l'autoroute qui ceinture la ville.

— Pour moi, c'est fini, c'est terrible...

Il n'attend rien. Il a juste besoin de parler, de crier calmement, doucement une douleur, une lucidité, une souffrance inconsolable. La rupture de soi, la voilà. Quand le vaste horizon, au lieu d'être un vertige, avance sur soi.

Chacun apprend à s'accoutumer à l'idée de la mort. Il n'y a toujours que deux méthodes : y penser toujours pour s'habituer à elle. N'y penser jamais pour se laisser surprendre par elle.

Mais dès lors que le terme est connu, ces pauvres recours se trouvent pulvérisés.

Sur le bord de l'autoroute, François Mitterrand revoit le jeune candidat à l'élection présidentielle de 1965, arrivant à Grenoble dans la salle du «Vieux Manège» pour sa première réunion publique contre De Gaulle : «C'est là que j'ai compris qu'il se passait quelque chose.» François Mitterrand avait raison puisqu'il allait mettre le Général en ballottage. Que reste-t-il après ces vingt-trois ans d'opposition et leur cortège de trahisons, d'humiliations, de minces fidélités ? Des figures morales, Mendès France, Delors, qui font la leçon et la fine bouche quand il s'agit de se coltiner aux réalités ? Mitterrand, lui, voulait le vrai pouvoir, celui de faire, de nommer, d'avoir raison même quand on a tort parce que la vérité n'est jamais unique. Dans ce combat-là, seul le mensonge est prouvé. François Mitterrand le sait. Fidèle à lui-même, il ne peut l'être à des idées. Il est fidèle à la séduction des idées, de la littérature, des femmes, du pouvoir. Il est donc authentique. Il aurait haï la fidélité qui emprisonne, qui restreint alors que tout change autour de lui. Il aurait haï cette vie sans séduction donc sans liberté. Aujourd'hui encore, il séduit, donc il est.

Une fois à la mairie, il me parle de la cohabitation

et de Balladur : « c'est un homme courtois, je pourrai travailler avec lui... »

Il n'est pas avare de conseils : « Ne soyez pas pressé, monsieur Carignon. Regardez. J'ai attendu vingt-trois ans dans l'opposition. Vous avez pris vos marques. Vous les avez prises au même moment que moi. Le hasard a décidé de mon sort. J'aurais pu mourir avant. Et puis en attendant, j'ai eu la Nièvre. Les vagues ont passé et repassé. Il faut être solide, comme vous, indéracinable dans son département. C'est le plus important. C'est la priorité. Ensuite, on peut attendre. »

Une fois où je me plaignais : « Il y a deux ministres dans l'Isère. C'est beaucoup contre moi. »

Il a répondu, faussement étonné : « Il y a deux ministres dans l'Isère ? Tiens, je n'avais pas fait attention. C'est le jeu des courants du PS. Cela ne change rien à votre situation. Louis Mermaz à qui j'ai demandé comment cela se passait avec vous m'a dit : "Nous ne sommes pas sur la même planète, mais quand nous nous rencontrons, c'est très courtois." Vous avez pris sa place au Conseil général. Il a été blessé. Puis il est devenu sage et philosophe. »

Et comme toujours, il aborde sa lutte contre De Gaulle : « Vous le magnifiez, vous oubliez les erreurs, les fautes, les changements d'avis, la dévaluation annoncée, annulée, la grève des mineurs, les scandales. C'est ainsi, c'est le temps. »

Après la réunification de l'Allemagne, il avait eu cette stupéfiante franchise : « Vous pensez que j'aurais dû aller sauter, danser autour du Mur de Berlin ? Mais je n'ai pas du tout envie ! Cette affaire n'est pas une bonne affaire pour la France. Elle ne me réjouit pas. » Régis Debray m'avait rapporté la phrase du Chancelier Schmidt : « De Gaulle avait une politique supérieure aux moyens de la France. Mitterrand a une politique inférieure à ses moyens. » Je ne sais si la position du président de la République explique a posteriori l'absence de vision sur la réunification allemande mais la conviction de François Mitterrand, ce jour-là, était rageuse.

Mais là, ce 31 mai 1991, dans la voiture qui roule lentement vers Grenoble, François Mitterrand dit pour la troisième fois :

— Pour moi, vous savez, c'est vraiment fini...

J'ai compris. Mais je suis démuni. Je ne sais pas comment appréhender ce destin d'homme. « Destin » justement. Je m'accroche à ce mot. « Vous avez un destin. » Je tombe à côté.

— Non, je sais. Je sais. Je ne suis pas un héros. Pour être un héros, il faut mourir à 20 ans sur un acte héroïque. De cela, je ne me plains pas...

Je sais de quoi il se plaint. De rien. De mourir. J'aimerais oser lui citer les auteurs qu'il connaît si bien et disent la vie impossible de ces êtres éternels sur terre. Ces livres qui donnent envie de mourir à son heure. Parce que, sans la mort devant soi, il n'y a pas de vie. Il le sait. Mais aujourd'hui, il a dans l'esprit quelque chose de précis, d'intime, qui ne concerne que lui et le bouleverse.

Plus de sécurité, de protection de défense. Plus d'horizon vaste comme un appel. Déjà, un autre monde.

*
* *

Dans la légèreté du dimanche 7 avril 1974, lorsque je me promène sur les quais de Paris, je pense à Georges Pompidou. A sa mort. Un de ces dimanches où seuls les provinciaux et les étrangers sont à Paris. Tout à coup, au pont de la Concorde, une voiture sombre précédée de motards a surgi : Nicolaï Podgorny, le petit homme au nez rond, engoncé dans un pardessus d'hiver, qui supportait l'URSS sur ses épaules apparemment tranquille, regagne l'aéroport pour Moscou. A l'angle de la rue Royale et du faubourg Saint-Honoré, quelques minutes plus tard, deux motards tricolores déboulent. A une distance respectable, derrière eux, une énorme voiture interminable, quatre feux rouges clignotant lentement, tourne sans ralentir. A l'arrière, enfoncé dans le siège, Richard Nixon discute souriant. Il paraît hâlé derrière les vitres teintées. Une dizaine de véhicules le suivent, remplis d'hommes aux yeux perçants, presque féroces, les oreilles collées sur les talkies-walkies. Les obsèques de Georges Pompidou ne leur laissent pas le temps de voir Paris ce dimanche de printemps. Devant le Palais-Bourbon, ce matin-là, deux gaullistes discutent : Michel Debré et Claude Labbé. Ils sortent de ces réunions que seuls les partis politiques savent organiser. Ils ne peuvent plus rien. L'un d'eux, Jacques Chaban-Delmas, va tenter de porter le poids de ce pouvoir qu'ils ont su garder quinze ans. L'heure est au calme au milieu de cette douce journée. L'église de la Madeleine veille. Georges Pompidou, a-t-on révélé, venait s'y recueillir tout seul, de temps en temps. Madame Pompidou a supporté beaucoup de souffrances. Alors elle s'en est allée voir fleurir les Causses, là-bas, dans le Lot. Le Quercy est joli en cette saison. La campagne ondule sous le regard et il n'y a que des visions paisibles. Même la vallée du Lot semble se reposer. Elle lui fera peut-être oublier tout ce qui rappelle le pouvoir : il lui a pris trop vite son mari. A cet instant, dans le pays, une seule autre femme peut la comprendre pleinement. Elle a d'ailleurs assisté dans un petit village à la messe dite à l'intention de Georges Pompidou. Il est vrai qu'Yvonne de Gaulle ne sort plus guère de la Boisserie que pour aller à l'église.

Paris resplendit. Et maintenant, à le traverser à pied, le pont Alexandre III paraît court.

Le chagrin et les livres

Les premiers jours de prison, le réflexe de lire au hasard ne m'a été d'aucun secours. Aujourd'hui, je choisis mes auteurs favoris. Ils ont toujours fait marcher mon imaginaire, réveillé mes sens.

Proust, Yourcenar, Giono, Gary... Je prends *Le temps retrouvé.*

«Toute la journée, dans cette demeure un peu trop campagne qui n'avait l'air que d'un lieu de sieste entre deux promenades mou pendant l'averse, une de ces demeures où chaque salon a l'air d'un cabinet de verdure, et où la tenture des chambres, les roses du jardin dans l'une, les oiseaux des arbres dans l'autre, vous ont rejoints et vous tiennent compagnie – isolés du moins – car c'étaient de vieilles tentures où chaque rose était assez séparée pour qu'on eût pu si elle avait été vivante la cueillir, chaque oiseau le mettre en cage et l'apprivoiser, sans rien de ces grandes décorations des chambres d'aujourd'hui où sur un fond d'argent, tous les pommiers de Normandie sont venus se profiler en style japonais pour halluciner les heures que vous passez au lit. Toute la journée je la passais dans ma chambre... »

Miracle dès la première phrase. Je suis parti loin d'ici. Je me love dans le texte, dans les mots. Allongé sur le lit de ma cellule, je n'ai guère envie d'être interrompu, dérangé. Nous sommes bien – car je ne suis pas seul – emporté dans ce monde sensible et magique. J'éprouve une jouissance nouvelle. Ici, dans le dénuement, rien ne peut nuire à la qualité de l'envoûtement. Je vérifie une fois de plus – et avec quel éclat – qu'il n'y a pas de grand chagrin qu'un bon livre ne guérisse.

Avec *Le temps retrouvé* mon bonheur est de même nature, de même intensité que le choc éprouvé lors de ma découverte d'adolescent. Proust écrit : « Là où la vie emmure, l'intelligence perce une issue. »

Très tôt, à l'heure de ces drames dont je me croyais – déjà – inconsolable et dont j'ai même oublié jusqu'à l'objet, j'avais retenu et conservé en moi cette formule si limpide et si simple : « On ne sort de la constatation d'une souffrance, ne fût-ce qu'en en tirant les conséquences qu'elle comporte. » Je butte à nouveau sur elle, lumineuse, au détour d'une page.

Que ce plaisir dure. Lire lentement, m'attarder sur une idée, préserver longtemps une émotion, un contentement. Pour maintenir ma curiosité en éveil, je commence plusieurs livres à la fois. Le copieux *Chine* de Pierre-Jean Rémy, l'histoire du navigateur Bernard Moitessier *Tamara et l'Alliance*, *Habanera* d'Eduardo Manet, conteur du microcosme de La Havane. Les barreaux sautent sous la pression des couleurs, des odeurs, des personnages, des contrées inconnues. Les heures s'écoulent autrement. Certaines deviennent voluptueuses et même, parfois, l'instant a du génie.

Je l'expliquerai plus tard à Bernard-Henri Lévy par lettre. Il a eu le courage – qui ne me surprend pas – de prendre ma défense dans *Le Point*. Il comprend mieux que d'autres les effets de la littérature sur la liberté de l'esprit.

*

* *

J'alterne du bien-être à la léthargie, comme un cyclothymique, sans raison apparente. Tout se joue dans mes 12 mètres carrés. Une seule intervention extérieure peut tout gâcher. Un mot, un signe ou un silence me ramènent à ma condition. Nombre de surveillants ont la délicatesse de le sentir. S'ils constatent que j'ai renoncé à la demi-heure d'exercice de poids et haltères à laquelle j'ai droit et à ma gymnastique dans la cour, MM. Authier et Anquetil, les surveillants chefs, me relancent d'un sourire amical en servant le repas : « Vous n'êtes pas un bon sportif. » Je comprends. Mais le temps n'a pas cicatrisé toutes mes plaies ouvertes par l'injustice et l'humiliation. L'équilibre est une perspective certaine, pas encore une réalité. Mais je ne doute pas de ma guérison.

Ainsi dans l'euphorie je pense à ma sortie. « Et si j'étais libéré par la chambre d'accusation ? Suis-je présentable ? » Je vois ma tignasse hirsute. J'obtiens de me faire couper les cheveux avant Noël. Un jeune maghrébin fait office de coiffeur. Il ne me connaît pas. On m'a conduit au rez-de-chaussée. Trois gardiens sont assis derrière une table. Au milieu de la pièce, il y a une chaise. Lui me tutoie, mais je ne dois pas lui parler. Il porte une blouse de nylon bleu sur un pantalon de toile sans pli qui tombe sur ses sandalettes. Son visage est avenant. Il appuie immédiatement la matière froide du gros rasoir électrique sur la base de mon cou, dans mon dos. Il remonte sur le crâne en pressant le cuir chevelu. Je dois avoir une large bande de crâne dénudé. De grosses touffes de cheveux tombent. Je serre la mâchoire. Parallèlement, il recule sa tête et ses épaules en arrière, bras tendus et, ainsi cambré, son bassin pèse contre moi, à la hauteur de mes épaules. Il tourne très lentement autour de moi et s'immobilise parfois. Je sens son pénis gonflé sur moi. L'ampleur de sa blouse cache son mouvement. Les trois surveillants qui nous observent ne remarquent rien.

J'allonge le bras pour me dégager, mimant une démangeaison sur la jambe.

Rien n'y fait. Je recule de façon vive pour donner un coup sec au niveau de ses hanches. Mon propre mouvement ne produit rien, sinon une méprise. J'ai les larmes aux yeux. Si je le dénonce il va aller au «mitard». Je sais ce que cela veut dire. Il pense couper les cheveux à un détenu habituel placé à l'isolement. Peut-être cette forme de plaisir fugitif, inachevé est-elle habituelle entre ceux qui n'ont pas d'autres moyens de nouer un contact de la chair, autre qu'au travers d'un pantalon collé contre une épaule.

Les années de prison, entre hommes : une chaîne de télévision interne diffuse plus fréquemment que Canal + des films pornographiques. Mais pour quel plaisir solitaire à deux ou trois dans une cellule ? Ce plaisir qui implique une forme de narcissisme, le sentiment de s'aimer soi-même autant que l'on possède l'autre, comment l'éprouver à plusieurs ? D'autant que vif ou bref, il se termine mal. Je suis figé devant les trois hommes qui nous examinent. Ce contact me fait souffrir. Il me reste un centimètre de cheveux sur le crâne. Je suis tondu jusqu'au-dessus des oreilles. L'opération n'a duré que sept ou huit minutes. Une éternité. La porte de ma cellule se referme enfin. Je m'allonge à plat ventre sur mon lit. Je joins mes mains derrière ma tête rasée pour me réchauffer le crâne. Et je pleure doucement.

Le crime

Janvier 1995 à la prison Saint-Joseph. Plus de trois mois déjà. Combien de semaines vais-je demeurer ici? Cellule n° 29, bâtiment I, matricule 49230; d'un repas attendant l'autre, de celui de 11 heures à la soupe de 17 heures. Les journées s'égrènent avec moins de dix mots échangés: «Bonjour.» «Bon appétit.» «Bonsoir.» «Merci.» Sans visage. Sans paysage. Sans les bruits subtils qui donnent son parfum à la vie. Ici les résonances des verrous, des targettes, des serrures défaillantes; au rythme des repas, des «promenades», des parloirs. Maintenant je peux compter le nombre de détenus au mitard: deux verrous tirés et une clef qui tourne dans la serrure égale un détenu. Aujourd'hui, au réveil de 7 heures je compte seulement 8 détenus: 24 fois le bruit a résonné dans les couloirs du bâtiment. Cela recommencera à l'heure de la promenade. Puis à 11 heures pour le déjeuner. Puis à 16 heures pour le «couchage» (le matelas est supprimé dans la journée). Puis à 17 heures pour le souper. Les détenus savent qu'ensuite on ne leur donnera signe de vie jusqu'au lendemain. Ils se calment ou bien crient. Parfois, certains se calment puis se mettent tout à coup à crier jusqu'à la nuit pour vaincre l'isolement.

De mon côté, l'instruction du dossier est achevée. Seuls le maintien de «l'ordre public» ou «la pression sur les témoins» permettent, artificiellement, de me maintenir en prison. Avec le dossier bouclé, rien, en droit, ne justifie que je demeure enfermé. De plus le constat est établi : je n'ai bénéficié d'aucun enrichissement personnel, aucun gain ou facture personnels contestable et contesté. S'il y a eu pratique illicite du financement de mon activité politique dans des proportions modestes, je suis un honnête homme.

Alors je réfléchis et je tente de déchiffrer ce qui se passe : je suis partagé entre une tristesse infinie devant le gâchis collectif et personnel et l'observation amusée de la légèreté avec laquelle on traite la liberté et l'honneur d'un homme. Je n'aurais jamais imaginé que la justice se résume un jour en un «bras de fer» entre le juge et moi ! Un vulgaire combat de coqs dont l'enjeu est ma liberté ! Combat évidemment perdu d'avance puisque le juge possède tous les pouvoirs. D'ailleurs il me rend coupable par la prolongation de ma détention. Il veut m'empêcher de participer à la campagne présidentielle qui s'achève en avril. Il veut m'interdire de m'expliquer devant les Grenoblois avant les élections municipales de juin. Ainsi il me refuse un droit élémentaire de l'homme, celui de me défendre publiquement contre des attaques publiques. Mes adversaires politiques peuvent donc s'en donner à cœur joie, me sachant dans l'impossibilité de leur répliquer ! Au fond depuis l'époque de la lettre de cachet et du cachot on n'a rien inventé : seulement remplacé la torture physique par la torture morale. Est-ce un véritable progrès ?

Je dois donc, en ce mois de janvier sans perspectives, résister à la lie, au déshonneur, à l'humiliation, à la tourmente. Je dois m'arc-bouter sur la vérité. Alors ma complète impuissance, les excès du juge, au lieu de devenir mortels doivent devenir des atouts pour sauver ma vie.

Il me reste l'instinct car je n'ai pas la force de raisonner. Messagers et conseillers me soufflent à l'oreille : « Un petit mensonge qui aille dans le sens de ce que le juge souhaite et vous sortez de prison. » Ou bien : « Un geste par une démission de l'un de vos mandats et vous sortez de prison. »

Mon instinct répond non. Je suis trop faible pour abandonner quoi que ce soit. Ce qui me reste est tellement petit et tellement important que je ne peux l'engager dans aucun compromis, aboutirait-il à ma liberté. Il me semble que seules ma sphère individuelle, mon intimité, mon intégrité sont encore vivantes. L'idée que les autres ont de moi est sûrement morte chez beaucoup.

Je ne possède plus que la certitude que j'ai de moi. Ces certitudes sont des exigences dans l'état où je me trouve. A nouveau je vois bien que mes exigences personnelles sont supérieures à celles attendues par ceux qui m'entourent. Mais il est vrai que mon tribunal intime est très sévère avec mes fautes et plus sévère que ne pourra jamais l'être le tribunal des hommes.

Au fond le juge a réussi à me dépouiller de ce que j'étais auparavant, avant d'entrer en prison. Mais pour lui c'est insuffisant : il est encore une chose qu'il veut atteindre. Pour l'obtenir, il fait danser la liberté devant mon nez. J'en suis au point où j'aurais l'impression de vendre mon âme pour gagner ma liberté.

Peut-il comprendre ? Je ne peux pas la lui donner car ici je n'ai plus rien ni personne sur qui retomber, autre que cette part secrète de moi. Disons que la liberté obtenue dans ces conditions n'aurait pas de goût. Je n'ai pas cette intelligence-là qui permet de gommer, d'enfouir, de ne pas voir cette capitulation d'une part essentielle de soi pour passer à autre chose.

Paradoxalement, même si je ne suis, pas plus que chacun, étranger au mensonge, je me suis toujours dit la vérité à moi-même. Je me trouve donc dans l'impossibilité – et ce au sens littéral du terme – de me mentir à moi-même. Alors que j'apprécie l'ambivalence, l'ambiguïté, que je suis plus proche de la pensée chinoise, à savoir le balancement des contraires, du yin et du yang, voici que sur cet aspect essentiel je suis d'un bloc, caricatural, comme si, en moi, quelqu'un d'inconnu me privait de tout libertinage intime.

Ici, entre mes quatre murs, à l'instant où je l'écris je suis heureux de ce constat qui me fait souffrir. Grâce à la prison, à l'isolement de ces jours et de ces nuits, au scalpel qui gratte inlassablement les blessures à vif, qui presse sur ce qui suppure en moi, qui taille sans anesthésie dans le gras de l'apparence je me retrouve exactement comme lorsque je regarde la Meije et que j'imagine être emporté : j'entrevois à nouveau avec la force et la rapidité d'un éclat cette minuscule part d'indestructible qui est en moi, comme elle est en chacun de nous. Et même si le prix personnel est assez élevé, peut-être ne me serais-je pas rappelé sans la prison que ce mystère de soi pouvait apparaître dans la souffrance aussi bien que dans l'exaltation d'un bonheur.

Conduit à mes extrêmes limites, je suis d'abord contraint de les retrouver pour demeurer debout. Une fois mises à nu, ma décision est de ne surtout pas m'en dessaisir, de ne pas les échanger, même contre ma liberté, car je me perdrais moi-même. Décision facile à prendre en ce mois de janvier : mais j'ignore s'il est possible d'y demeurer fidèle.

Bizarre tout de même. Tout se mêle. C'est mon enfance qui me rend visite lorsque je vais à la recherche de l'essentiel. C'est elle qui rôde dans ma mémoire et qui m'insuffle toujours le charme des commencements.

Elle me parle de M. Pépin, l'épicier d'Avignon. Bien entendu sa silhouette a disparu de mon esprit. Quand à 7 ans, à la fin du mois, je faisais « marquer les commissions », déjà, je n'avais pas le choix. Pourtant, sans le savoir, en m'invitant à regarder la télévision le jeudi après-midi, il répondait à ma sollicitation par un don. Non seulement ma faiblesse, voire un certain dénuement ne me desservaient pas, mais ma naïveté à les porter tels qu'ils étaient embellissaient ma vie.

Quelque chose d'identique a pénétré, ici, en moi. De même nature. Comme M. Pépin, l'épicier, l'enfermement gardera toujours une influence, anonyme, cachée en moi, dans mes actes futurs. Jamais rien de rationnel, de logique ne me permettra d'apprivoiser réellement cette énigme.

Je sais seulement depuis M. Pépin que, comme une mystérieuse composition, une étonnante symbiose assimile chaque épisode nouveau, quel qu'il soit, et ce, jusqu'à ma fin.

Je mesure alors la beauté secrète de ce chemin de la vie : cette manière unique, donc sublime, qui appartient à chacun, de découvrir ses ignorances qui seules permettent de gagner d'infimes degrés de liberté.

Comme pour chacun de nous, ma vie est simplement cette succession de chemins, traversés de visages, de paysages, de souffrances, d'émotions, de passions. Ce sont ces sédiments, ce «petit tas de secrets» qui la composent.

A chaque bifurcation, comme un adolescent dont l'identité ne serait jamais accomplie, je ne me satisfais pas de ce que je constate en moi. Au contraire, avant de réfléchir, je répondrai toujours «oui» à certaines questions. Parce que je me sens indemne d'un ressentiment quelconque à l'égard de quiconque. Ni ne me sens, même en prison, empli d'un malheur qui occuperait le reste de ma vie au risque de la rendre illisible. Ni, bien entendu, repu d'un incompréhensible contentement de soi.

Voici pourquoi, sur ce chemin, l'isolement au cachot est une sorte d'escale supplémentaire. Elle appartient à cette catégorie de sensations fortes, de plein bonheur ou de malheur qui paraissent absolus.

A chacune de ces escales, depuis M. Pépin l'épicier, exactement comme au bord du ravin, lorsque la bise froide me rend vulnérable à m'emporter la tête, je contemple la Meije depuis le chapelet des villages qui surplombe la Grave, une porte magique s'ouvre devant moi. Alors à cet instant, je ne suis plus quelqu'un qui considère les événements et en hèle quelques-uns au passage, mais je suis au cœur d'un monde intérieur vaste comme un éblouissement.

REMERCIEMENTS

Parmi tous ceux que j'aurais voulu citer dans ce livre figure M. Aimé Paquet, Ancien Médiateur de la République, car je dois beaucoup à l'exemple de sa personnalité juste, honnête et sage.

TABLE

Cet ouvrage a été réalisé par la
SOCIÉTÉ NOUVELLE FIRMIN-DIDOT
Mesnil-sur-l'Estrée
pour le compte des Éditions Grasset
en mai 1995

Imprimé en France
Dépôt légal : mai 1995
N° d'édition : 9758 - N° d'impression : 30976
ISBN : 2-246-50491-0